BAIE DE SOMME
PAYS DE FLANDRE
PARIS
LANGRES
ALSACE BOSSUE
ARDÈCHE
CANTAL
JURA
PAYS DE BEAUNE

« Je dédie ce livre à ma maman, qui m'a transmis bien mieux que des recettes : le goût des autres. »

« Je le dédie également à notre fils Hadrien. C'est pour qu'il ait la chance de savourer dans 10 ans le jambon noir de Bigorre, la tome des Bauges ou le gâteau à la broche que j'ai entrepris cet inventaire gourmand au cœur des pays de France. »

Julie Andrieu

LES CARNETS DE JULIE

Julie cuisine la France... chez vous !

ALAIN DUCASSE
EDITION

BJ·754·LG

Après avoir parcouru le monde sans relâche pendant 20 ans, gouté du lama sur l'altiplano péruvien à 5 000 mètres d'altitude, mangé végétalien sans couverts ni assiette pendant 3 semaines en Inde, arraché des racines dans les montagnes irakiennes pour préparer le repas d'un tribu nomade, avalé du sang de serpent ou des tripes de poisson sur une jonque vietnamienne, il me vint une étrange idée : j'allais parcourir un pays méconnu dont les mille visages composaient l'un des plus singuliers kaléidoscopes de cultures au monde. Une terre qui offre une cuisine aussi variée que son relief et que l'homme a apprivoisée au fil des siècles pour y produire parmi les meilleurs produits du monde. J'allais découvrir la France !

La curiosité m'avait certes déjà poussée dans quelques régions de notre hexagone, guide du routard en poche, d'auberge en table d'hôte, mais il me semblait que mon pays m'était finalement plus étranger que toutes ces contrées lointaines. L'ambition n'était pas d'aller à la rencontre des meilleurs chefs de France. Comme je l'avais éprouvé à l'étranger, c'est par la découverte de la cuisine ménagère que l'on goûte le cœur d'un pays. Je savais l'incroyable pouvoir de mémoire qu'elle recèle et sa place prépondérante au cœur du patrimoine d'une région. Patrimoine oral, patrimoine éphémère, la cuisine traditionnelle se trouve aujourd'hui menacée par la normalisation du goût, l'industrialisation de l'alimentation et l'évolution des modes de vie.

Certains produits trop peu rentables appartiennent déjà au passé, certaines recettes disparaissent avec les grands-mères qui les mijotaient pendant de longues heures sur leur fourneau. Si les femmes peuvent se réjouir de ne plus être réduites aux tâches ménagères, ces années de lutte féministe ne doivent pas sacrifier le lien avec notre passé et nos traditions populaires. C'est avec le désir d'inscrire dans l'avenir les racines qui ont construit chacun de nous que j'ai engagé mon tour des « pays de France », comme on les appelle traditionnellement - les départements étant un découpage finalement récent, plus administratif que culturel. De l'Alsace bossue à la vallée d'Aure, du pays de Blaye à celui de Pontarlier, j'ai appliqué la même recette : dis-moi ce que tu manges, je devinerai ton histoire. Histoires individuelles, histoires de village, histoires de région, jusqu'à la grande Histoire, rien en cuisine n'est arbitraire. Gestes, produits, ustensiles, rites, lieux, tout nous raconte... Ce recueil est donc le fruit de 35 voyages effectués – avec ma voiture Micheline ! - pour l'émission *Les Carnets de Julie* diffusée sur France 3. Il est bien sûr dédié à tout ceux qui m'ont ouvert leur porte, leur table, leurs casseroles mais surtout leur livre intime et universel.

Merci les amis !

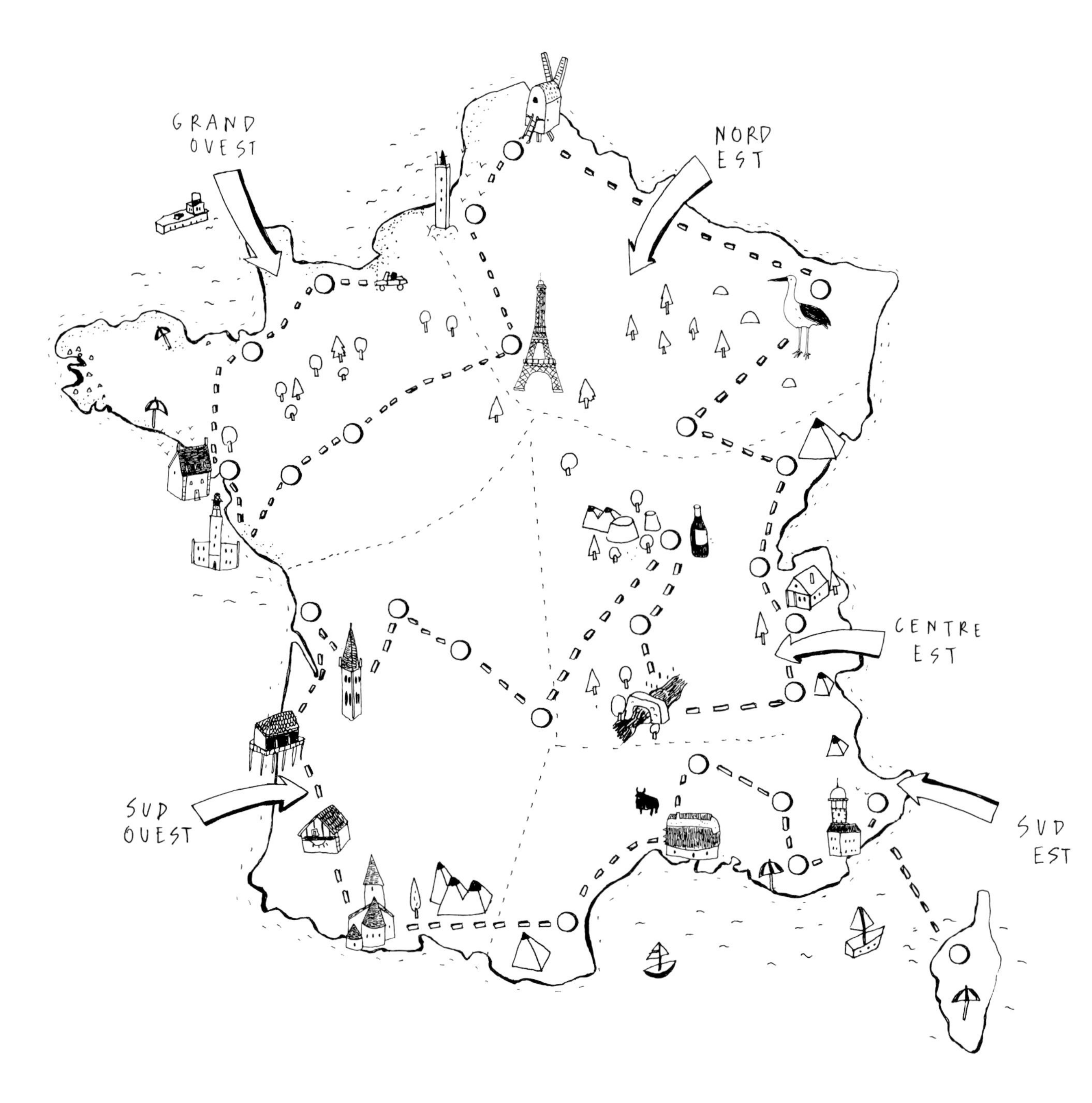
GRAND
OUEST
NORD
EST
CENTRE
EST
SUD
OUEST
SUD
EST

SOMMAIRE

GRAND-OUEST

NORD-EST

CENTRE-EST

SUD-OUEST

SUD-EST

POTERIE

PÉRIGORD VERT

VALLÉE D'AURE

CAMARGUE

LUBERON

MARSEILLE

MONACO

LE PORT DE LA FLOTTE

Mes Conseils...

• La qualité de ce plat très simple ne dépend que d'une chose : la qualité des ingrédients ; soyez donc très exigeant sur les légumes et sur la crème. • La crème de Marie-Thérèse est si épaisse qu'elle ne nécessite pas l'ajout de jaune d'œuf, mais c'est généralement préférable. • J'aime bien ajouter 1/2 c. à c. de moutarde forte à cette sauce en même temps que les jaunes d'œufs.

POUR 4 À 6 PERSONNES
PRÉPARATION 30 MIN
CUISSON 2H20

LA POULE AU BLANC
DE MARIE-THÉRÈSE

1 belle poule de 2kg
4 carottes
1/2 boule de céleri
3 poireaux
1 oignon
2 clous de girofle
20 gros grains de poivre
4 belles pommes de terre à chair ferme
500g de champignons de Paris
30g de beurre
300g de crème fraîche épaisse
2 jaunes d'oeufs
1 boîte de salsifis
Quelques brins de persil
Sel
Poivre

LE PETIT TRUC EN PLUS DE MARIE-THÉRÈSE : elle enferme les grains de poivre dans une boule à thé pour éviter qu'ils ne se répandent dans le bouillon.

Chère à Henri IV, la poule au pot n'est pourtant pas une exclusivité béarnaise. En me promenant en France, j'en ai goûté aux quatre coins de notre beau pays. Mais la version enrichie de crème ne pouvait qu'être normande. Un plat plus léger qu'il n'y paraît car la crème se dose à l'envie et la cuisson à l'eau fait une recette saine et équilibrée. Surtout quand on cuit une volaille de son poulailler comme Marie-Thérèse.

Pelez et lavez les carottes, laissez-les entières. Pelez le céleri. Lavez les poireaux, coupez-en le vert trop foncé, coupez-les en deux dans la longueur, puis entaillez-les sans les trancher. Passez-les sous l'eau en les ouvrant légèrement pour les dessabler. Ficelez-les en 2 paquets. Pelez l'oignon et piquez-le de clous de girofle. Placez la poule dans un faitout. Ajoutez-y l'oignon, les carottes, les poireaux, le céleri et les grains de poivre, couvrez d'eau froide. Salez et portez à ébullition. Baissez le feu pour que cela frémisse et couvrez. Laissez cuire 1 h 20.

Pelez et rincez les pommes de terre, puis ajoutez-les dans le bouillon et laissez cuire encore 40 min. Coupez le pied des champignons, lavez-les et émincez-les. Faites-les sauter avec le beurre dans une poêle à feu vif, salez, poivrez et laissez mijoter jusqu'à ce que leur eau se soit évaporée. Quand la poule est cuite, égouttez-la, prélevez 15 cl de bouillon et versez-le dans une casserole, ajoutez la crème, 1/2 c. à c. de sel, poivrez et faites réduire d'un tiers. Fouettez régulièrement. Ajoutez un peu de cette crème dans les champignons et faites-les réchauffer. Hors du feu, ajoutez les jaunes à la sauce en fouettant. Réchauffez sur feu doux sans faire bouillir. Égouttez et rincez les salsifis. Mettez-les dans une casserole avec 1 bonne louche de bouillon de poule. Réchauffez sur feu doux.

Découpez la poule. Saupoudrez un peu de persil ciselé sur le dessus. Servez la poule entourée de ses légumes, avec les salsifis et les champignons à part. Accompagnez de sauce bien chaude.

Mes Conseils...

• Si l'opération d'épluchage des crevettes grises vous semble trop fastidieuse, évitez de les acheter déjà décortiquées car elles sont nettement moins savoureuses ; remplacez-les par des coques que vous ouvrirez avec les moules.

POUR 10 PERSONNES
PRÉPARATION 45 MIN
CUISSON 35 MIN

SOLE NORMANDE
DE BERNARD VAXELAIRE

Un plat un peu suranné qui, à lui seul, résume l'étrange gestation des recettes de terroir : très prisée à Paris, la sole pêchée en Normandie était acheminée à grands frais vers la capitale au XIXe siècle. Son apprêt en sauce crémée, additionnée de coquillages et de champignons naquit donc à Paris, dans l'un des restaurants les plus célèbres de l'époque, le Rocher de Cancale. Sa postérité doit beaucoup à la littérature, Honoré de Balzac et Marcel Proust, clients du Rocher, ayant rendu hommage à cette sole dans leurs écrits. Mais de Normand, finalement, elle n'a que les produits, c'est-à-dire, l'essentiel !

Les filets de 3 belles soles de 700g pièce
500g de petites crevettes grises cuites
500g de champignons de Paris
750g de moules
3 échalotes
1/2 bouteille de cidre brut
Quelques queues de persil
50cl de crème épaisse
Quelques pousses d'épinard
Sel
Poivre

Armez-vous de patience pour éplucher les crevettes. Coupez chaque filet de sole en deux dans la longueur. Coupez les pieds terreux des champignons, rincez-les rapidement et coupez-les en quatre. Nettoyez et grattez bien les moules. Ciselez 2 échalotes très finement. Versez 25cl de cidre dans un faitout avec les échalotes, quelques queues de persil et poivrez bien. Portez à ébullition à grand feu. Jetez les moules dans le faitout et couvrez. Remuez en secouant le faitout fermé de temps en temps. Comptez 5 min environ ou jusqu'à ce que les moules soient ouvertes. Jetez celles qui ne sont pas ouvertes. Éteignez le feu, égouttez les moules et filtrez le jus de cuisson en le versant dans une grande poêle.

Ciselez la dernière échalote et ajoutez-la dans une poêle avec 30cl de crème. Laissez frémir 5 min, ajoutez alors les filets de soles. Laissez cuire 3 min dès la reprise du frémissement et retirez-les dès qu'ils sont bien blancs et qu'un couteau les transperce sans résistance. Égouttez les filets, réservez-les sur une assiette et remplacez-les par les champignons. Laissez cuire 10 min environ à petits bouillons. Incorporez le jus rendu par les moules à la sauce. Pendant ce temps, décoquillez les moules. Égouttez les champignons. Ajoutez le reste de crème et de cidre à la sauce et laissez réduire jusqu'à ce qu'elle soit bien nappante. Ajoutez un peu de sel, éventuellement un peu de poivre. À ce stade, la préparation peut attendre le moment du service. Au moment de servir, plongez la sole, les champignons, les crevettes et les moules dans la poêle de sauce, remuez et laissez chauffer à feu doux sans bouillir, à couvert. Saupoudrez éventuellement de persil ou de pousses d'épinard. Servez avec du riz, des pommes de terre vapeur ou des pâtes fraîches et une tombée d'épinards.

Mes Conseils...

• Les Normands ne mangent généralement pas la croûte mais j'adore ce goût de confiture de lait. • J'ai revu les temps de cuisson car Philippe cuit la teurgoule en grande quantité. Si vous voulez en faire cuire une pour 8 à 10 personnes, comptez 1 h de plus de cuisson. • Cette recette est très proche de la terrinée que l'on trouve dans la Manche. Il en existe de nombreuses variantes.

POUR 4 À 6 PERSONNES
PRÉPARATION 10 MIN
CUISSON 3H40

LA TEURGOULE
DE PHILIPPE

1 l de très bon lait entier
100g de sucre roux ou 90g pour un résultat un peu moins sucré
10 bâtons de cannelle (20g) ou 1 c. à c. de cannelle en poudre
65g de riz rond
Sel

Par l'utilisation du riz et de la cannelle, voire de la vanille, la teurgoule porte la trace du commerce des navires normands avec les colonies pendant l'Ancien Régime. Ce riz au lait à la normande se cuisait autrefois dans le four du boulanger, pour profiter de la chaleur résiduelle après la cuisson du pain. Le même procédé de cuisson s'appliquait à la fallue (voir page suivante) ce qui explique sans doute que ces deux douceurs se mangent ensemble encore aujourd'hui, souvent à la fin des repas de fête. Certains ajoutent du beurre sur la croûte brunâtre en fin de cuisson. C'est un peu du vice mais c'est diablement bon !

Chauffez le four à pain comme Philippe, ou, comme moi, préchauffez le four à 150 °C (th. 5) en chaleur statique. Dans une casserole, faites bouillir le lait avec le sucre et la cannelle. Filtrez. Versez le riz dans une grande terrine évasée (si possible en terre ou porcelaine), couvrez de lait, ajoutez la pincée de sel, remuez et enfournez. Laissez cuire 3 h 30. Sortez du four et laissez refroidir. Gardez à température ambiante. Servez avec une grosse cuillère en prenant du riz, de la crème et de la croûte.

LE PETIT TRUC EN PLUS DE PHILIPPE : il faut éviter de cuire la teurgoule à four trop doux car le riz absorbe alors trop lentement le lait et devient trop sec et compact, sans créer la couche de crème sous la croûte, caractéristique de cette recette.

Mes Conseils...

• On trouve désormais la levure fraîche dans la plupart des grandes surfaces mais le plus simple est encore de l'acheter à votre boulanger.

POUR 1 FALLUE
PRÉPARATION 30 MIN
CUISSON 25 MIN
REPOS 3H20

LA FALLUE
DE PHILIPPE

500g de farine T55
100g de beurre pommade
100g de crème épaisse
5 oeufs selon leur taille, (400g net environ sans coquille)
50g de sucre
10g de sel
18g de levure fraîche de boulanger

Philippe est boulanger à Saint-Germain-en-Laye mais originaire du pays d'Auge. Il a remporté plusieurs fois la médaille d'or du concours de fallue et de teurgoule organisé par la confrérie. C'est dire si sa recette est éprouvée! Cette pâte peut se travailler à la main mais le batteur électrique a tout de même ses charmes...

Dans une cuve de batteur électrique ou dans une jatte si vous travaillez à la main, versez tous les ingrédients sauf 1 œuf et la levure. Faites tourner le crochet très lentement pendant 30 s. Ajoutez la levure émiettée et faites tourner le crochet 10 min tout doucement. Ajoutez éventuellement un peu de crème pour assouplir la pâte ou de farine pour l'épaissir un peu. Elle doit être très souple sans coller aux doigts.

Façonnez la pâte en boule en la pliant 2 ou 3 fois et placez-la sur un torchon fariné, recouvrez-la avec le torchon pour qu'elle ne se dessèche pas. Laissez gonfler 2 h à une température autour de 22 °C. Écrasez la pâte avec la paume de la main et repliez-la sur elle-même en longueur de façon à en obtenir un gros boudin. Scellez la pâte avec la base du poignet et déposez le pâton sur une plaque à pâtisserie huilée, la césure vers le dessous. Laissez lever encore 1 h 20 à 30 °C, dans une pièce chaude ou dans le four.

Préchauffez le four à 190 °C (th. 6). Cassez l'œuf restant et fouettez-le avec une bonne pincée de sel. Dorez la fallue au pinceau et formez un chapeau sur le dessus en l'entaillant peu profondément avec la pointe d'une paire de ciseaux, sans jamais sortir la pointe située sous la pâte. Enfournez et laissez cuire 25 min environ.

Mangez-la chaude de préférence, même si elle se conserve aisément 2 jours, entourée d'un linge. Une fois froide, elle est délicieuse légèrement toastée et accompagne idéalement la teurgoule (voir page précédente).

HUITRES
DE CANCALE
huîtres Sauvages
6 Euros les 12
PLEINE MER

PAYS DE SAINT-MALO

Marché aux huîtres de Cancale

Les marchés sont nombreux dans la petite commune de Cancale, mais le plus typique est sans aucun doute le marché aux huîtres qui se tient sur le port de La Houle. J'ai adoré y flâner, m'imprégner de l'ambiance cancalaise si particulière et goûter enfin cette huître iodée dont on parle tant. Je vous assure qu'elle vaut le détour ! Sur le marché, on peut en acheter pour les emporter ou les déguster sur place, face à la mer et au pied des parcs à huîtres... comme je l'ai fait avec Gilles, ostréiculteur dans la baie. L'huître de Cancale ne doit pas sa réputation au hasard, elle est très savoureuse et d'une qualité incomparable. Son goût typé est notamment dû à la richesse en plancton de la Baie du Mont Saint-Michel et à l'amplitude des marées qui influe sur son affinage. Un petit plaisir que l'on peut s'offrir à l'envie puisque le marché est ouvert tous les jours, toute la journée et toute l'année !

POUR 4 PERSONNES
PRÉPARATION 10 MIN
CUISSON 18 MIN

LES ARAIGNÉES AU NATUREL

DE CHRISTIAN ET JÉRÔME

- 3 araignées de mer
- 1 bouquet garni de thym, de fenouil et de laurier
- 1 c. à s. de moutarde
- 1 c. à s. de vinaigre de xérès
- 1 c. à c. d'huile de pépins de raisin ou de tournesol
- Sel
- Poivre

Mettez les araignées dans une grande marmite remplie d'eau froide et faites-les cuire en court-bouillon avec le bouquet garni, du sel et du poivre. Dès que l'eau frémit, après 18 min de cuisson environ, retirez les araignées et égouttez-les.

Une fois les araignées égouttées, cassez leurs pattes, puis retirez leur corps d'un seul tenant. Dans un bol, prélevez le jus de tête — vous devez en récupérer environ 80 g — et le corail situé dans les cartilages du corps, appelés les « casiers ». Ajoutez la moutarde, le vinaigre et l'huile, puis passez le tout au mixer. Lorsque l'émulsion est prête, dégustez-la avec la chair des pattes.

POUR 8 PERSONNES
PRÉPARATION 10 MIN
CUISSON 45 MIN

LES RILLETTES
DE MAQUEREAUX DE CHRISTIAN ET JÉRÔME ÉPICÉES PAR OLIVIER ROELLINGER

6 maquereaux
6 oignons frais
5cl d'huile d'olive
3 c. à s. de vodka
10cl de crème fraîche
3 c. à c. rases de composition originale d'épices «Poudre des Alizés» de chez Épices-Roellinger : gingembre, poivre de Sichuan, piment d'Espelette, graine de moutarde
Sel
Poivre

Retirez les arêtes des filets de maquereaux, puis enlevez leur peau. Pour atténuer le goût fort du maquereau, retirez les morceaux de chair les plus sombres pour ne garder que la belle chair blanche.

Faites fondre les oignons émincés avec de l'huile d'olive. Ajoutez la vodka, puis la crème fraîche et les épices.

Passez la moitié des filets de maquereau au mixer et coupez l'autre moitié en petits dés. Mélangez les maquereaux mixés, les dés de maquereaux et la préparation oignon-crème-vodka jusqu'à ce que l'ensemble soit homogène. Mettez le tout dans des bocaux, et faites-les cuire à la vapeur pendant 45 min.

BJ-754-LG
38

En visite à Saint-Malo !

POUR 12 PERSONNES
PRÉPARATION 25 MIN
CUISSON 45 MIN

LA BRANDADE DE MORUE
DE MARIE-THÉRÈSE

POUR LA MORUE
2kg de morue dessalée en filets
4 gousses d'ail
Thym
Laurier
Poivre

POUR LA PURÉE
1,5kg de pommes de terre à purée
80cl de lait entier
100g de beurre
3 poignées de fromage râpé
Sel

POUR LA SAUCE BLANCHE
70g de beurre demi-sel
70g de farine
50cl de lait
2 poignées de fromage râpé

Épouse d'un «Terre Neuva» (les pêcheurs de morue qui partaient à Terre Neuve au Canada pendant 6 à 7 mois), Marie-Thérèse connaît bien son sujet! Distincte de celle de Nîmes par l'ajout de pommes de terre et de sauce blanche, cette brandade a subi l'influence des voisins anglais et s'apparente à leur «fish pie».

Si elle n'est pas déjà dessalée, dessalez la morue pendant 24 h dans une bassine d'eau en veillant à changer l'eau 2 ou 3 fois.

Déposez la morue dans une cocotte et couvrez généreusement d'eau. Poivrez, ajoutez l'ail écrasé, le thym et le laurier, puis portez à ébullition. Coupez le feu dès que l'eau frémit, elle ne doit surtout pas bouillir. Prélevez une bonne louche d'eau de cuisson et réservez-la. Égouttez alors la morue et effeuillez-la grossièrement.

Pendant ce temps, pelez les pommes de terre et placez-les dans une casserole d'eau froide salée. Portez-les à ébullition et faites-les cuire jusqu'à ce qu'elles soient bien tendres. Passez-les au moulin à légumes. Dans le même temps, faites chauffer 80 cl de lait dans une casserole. Ajoutez le lait chaud et 80g de beurre à la purée, ainsi que 1 poignée de fromage râpé. Préparez ensuite la sauce blanche en faisant fondre 70g de beurre demi-sel dans une casserole. Ajoutez la farine et remuez 30 s pour cuire l'ensemble. Ajoutez progressivement 50 cl de lait froid, la sauce va épaissir lors de l'ébullition. Ajoutez alors le jus de cuisson réservé. Attention, la sauce ne doit être ni trop épaisse, ni trop liquide.

Préchauffez votre four à 200 °C (th. 6-7). Déposez les morceaux de morue dans le fond de deux grands plats à gratin, versez la sauce blanche, puis ajoutez la purée sur le dessus. Saupoudrez de fromage râpé et ajoutez 20g de beurre en petits dés. Enfournez et faites cuire 20 min.

Mes Conseils...

• La morue déjà déssalée se trouve dans les magasins d'alimentation surgelée. • Relevez éventuellement l'ensemble avec un peu de muscade. • La quantité de lait dans la purée peut varier en fonction des pommes de terre, c'est à vous de juger!

REAL FRENCH
LP

POUR 8 PERSONNES
PRÉPARATION 30 MIN
CUISSON 1H30
REPOS 1H20

LE POMMÉ

OU BOUSE DE VACHE (!) DE GEORGES

POUR LE FEUILLETAGE
1kg de farine
20g de sel
50 à 60cl d'eau
750g de beurre doux – du bon, c'est important ! ou idéalement du « beurre sec » de pâtissier

POUR LA GARNITURE
2kg de pommes
Georges utilise des reinettes d'Armorique
100g de beurre demi-sel
3 c. à s. de caramel à la vanille (ou du sucre)
250g de sucre roux
2 jaunes d'oeufs

Mes Conseils...

• Si vous avez préparé ce dessert à l'avance, réchauffez-le avant de le déguster. • Georges cuit toujours ses tartes très longtemps – entre 1h30 et 2 h – pour que la pâte soit bien croustillante. • Utilisez un beurre "sec", c'est-à-dire pas trop humide. • Georges m'a appris qu'il ne fallait jamais ajouter le sucre au début de la cuisson d'une compote, sinon les fruits accrochent. Il le verse juste à la fin.

Préparez le feuilletage : dans un saladier, mélangez la farine et le sel, puis versez l'eau progressivement. Continuez de mélanger en pétrissant le moins possible. Vous devez obtenir une pâte souple mais pas collante. Formez une boule avec la pâte obtenue et incisez-la en croix sur la surface afin de rompre son élasticité. Laissez-la reposer 20 min. Sortez le beurre doux du réfrigérateur pour le laisser ramollir. Attention, il faut qu'il soit maniable, mais surtout pas mou. Pelez les pommes, lavez-les et coupez-les en petits dés. Placez-les dans une grande casserole avec le beurre demi-sel et le caramel. Laissez cuire environ 10 min à feu moyen et en remuant souvent. En fin de cuisson, ajoutez le sucre roux, mélangez et coupez le feu. Étalez la pâte —que l'on appelle la « détrempe » — pour former un rectangle. Tapez le beurre maniable avec le rouleau pour l'étaler un peu et déposez-le de manière à ce qu'il recouvre la moitié de la pâte. Repliez la pâte restée vierge sur le beurre, scellez bien pour ne pas que le beurre s'échappe. Étalez délicatement au rouleau. Pliez ensuite la pâte en trois et étalez-la au rouleau, pliure vers vous. Tournez la pâte d'un quart de tour puis recommencez la même opération, vous aurez donné deux tours. Placez la pâte au frais pendant 20 min pour la raffermir. Étalez à nouveau la pâte, redonnez deux tours et laissez-la reposer 20 min. Recommencez une troisième fois cette opération pour donner 6 tours en tout. Sortez la plaque du four et couvrez-la de papier cuisson. Préchauffez le four à 180 °C (th. 6) en chaleur statique. Découpez deux morceaux dans la pâte : un de 400 g et un de 500 g. Placez le reste au congélateur pour le prochain pommé. Abaissez finement au rouleau le plus petit morceau pour former un grand disque et déposez les pommes au centre de ce disque en laissant le rebord vierge. Beurrez-le légèrement au pinceau. Abaissez le second morceau de pâte en un disque un peu plus grand, recouvrez-en les pommes, puis scellez les pâtes et découpez l'excèdent. Décorez les bords en les pressant légèrement avec les dents d'une fourchette. Diluez les jaunes d'œufs dans un peu d'eau et appliquez cette dorure au pinceau sur toute la surface du pommé. Décorez avec les dents de la fourchette en quadrillant la pâte, piquez-la de toutes parts et enfournez-la. Laissez cuire 1 h 30 à 180 °C (th. 6).

ÎLE DE NOIRMOUTIER

Louis, saunier

Les marais salants recouvrent 1/3 de l'île de Noirmoutier. Le sel est partout ici, même dans la pâtisserie ! Je suis allée à la rencontre de Louis, saunier depuis son plus jeune âge. Avec une poignée de passionnés, il a relancé la production de sel sur l'île alors qu'elle avait presque disparue. Il faut dire que le séchage, toujours fait au soleil, est long et aléatoire. Même à 74 ans, Louis continue de produire son sel et ne se voit pas arrêter de sitôt ! Ici, il me montre sa table à fleur de sel. Ces cristaux immaculés miroitent à la surface des marais et sont cueillis à l'écumoire. Mon père, qui est rétais, prétend d'ailleurs que l'on doit parler de « l'affleur de sel ». L'occasion de saluer aussi le sel de l'île de Ré, mon « sel de cœur » évidemment…

POUR 6 PERSONNES
PRÉPARATION 30 MIN
CUISSON 1H

LE BAR AU SEL ET BEURRE BLANC AUX SALICORNES

DE JEAN-PIERRE

On connaît tous la cuisson au sel mais quelques nuances augmentent vos chances de cuire à point votre bar. Croûte ou coque ? Il ne s'agit pas seulement de sémantique : enrichie de farine, la carapace qui entoure le poisson s'appelle croûte alors qu'elle prend le nom de coque si elle n'est constituée que de sel. Jean-Pierre m'a donc enseigné « l'art de croûte ». À la farine, il ajoute des blancs d'œufs et de l'eau pour faire coaguler cette pâte à sel. L'expérience vous enseignera le degré d'humidité idéal pour avoir une chance d'édifier un château de sel sans qu'il ne s'écroule. Autre détail crucial : le poisson doit être posé sur le ventre et non sur le côté, pour assurer une cuisson homogène. Enfin, ne faites pas comme moi lorsque j'ai testé cette recette à la maison : achetez un poisson qui entre dans votre four ! En exclusivité, je vous annonce que mon prochain livre s'appellera : La Cuisine des blondes...

POUR LE BAR
1 bar de 1,5 kg vidé et non écaillé
3 kg de gros sel, de Noirmoutier de préférence
10 blancs d'oeufs
3 poignées de farine
1 bouquet de thym
Quelques branches de laurier

POUR LES POMMES DE TERRE ET LES ASPERGES
1,5 kg de pommes de terre bonnottes de Noirmoutier
200 g d'asperges sauvages
100 g de beurre demi-sel
Gros sel

POUR LE BEURRE BLANC
200 g de beurre demi-sel
3 échalotes
1 petit bocal de salicornes au vinaigre
15 cl de vin blanc sec (fiefs vendéens)

Préchauffez le four à 200 °C (th. 7) en chaleur tournante. Dans un grand saladier, mélangez le gros sel, les blancs d'œufs et la farine. La préparation doit être bien humide pour être malléable et coller au poisson mais pas trop pour cuire et former une croûte. Remplissez le ventre du poisson avec du thym et du laurier. Faites un lit de sel dans un grand plat allant au four. Déposez le poisson sur le ventre. Entourez-le d'une bonne couche de gros sel. La tête et la queue doivent à peine émerger. Enfournez et laissez cuire 30 min.

Pendant ce temps, frottez les pommes de terre au gros sel et lavez-les. Mettez-les dans une grande sauteuse, en une seule couche. Versez de l'eau à mi-hauteur, déposez 100 g de beurre en tranches épaisses, couvrez et laissez cuire 20 min à feu moyen en remuant régulièrement. Quand l'eau est presque totalement absorbée, retirez le couvercle et laissez-les dorer dans le beurre en les remuant régulièrement. Faites cuire les asperges dans une casserole d'eau bouillante salée pendant 8 à 10 min.

Préparez le beurre blanc : ciselez finement les échalotes, égouttez les salicornes, rincez-les et coupez-les grossièrement. Placez les échalotes dans une petite casserole, ajoutez le vin et laissez cuire sur feu moyen jusqu'à ce qu'il soit complétement évaporé. Ajoutez le beurre coupé en dés sur feu très doux en tournant la casserole sur elle-même. Ajoutez les salicornes. Ouvrez la coque du poisson à table en l'incisant sur la crête. Dégagez la peau du poisson et servez la chair. Accompagnez de pommes de terre, d'asperges et de beurre blanc.

Mes Conseils...

• Si votre bar est vraiment trop grand pour le four, coupez-lui la queue, mais pas la tête : le sel cuirait les chairs. • Si possible, demandez à votre poissonnier de vider le poisson par les ouïes, ce qui évite au sel de pénétrer par l'entaille faite dans la gorge du poisson.

POUR 6 PERSONNES
PRÉPARATION 20 MIN
CUISSON 1 BONNE HEURE

FRICASSÉE DE BERNIQUES
DE CATHERINE

1kg de berniques
2 oignons
2 carottes
50g de beurre demi-sel
3 c. à s. rases de farine
1kg de pommes de terre
à chair ferme
Sel
Poivre

Les berniques sont ces coquillages que l'on appelle familièrement les Chapeaux Chinois. Elles ont été nourriture de fortune durant les périodes de disette avant d'être délaissées au profit de coquillages plus «Chics» comme les bulots ou les coques. Heureusement, les anciens, comme Jo qui m'a appris à les pêcher, se souviennent de leur saveur fine de viande blanche et des techniques pour les pêcher. Un mot d'ordre : les berniques se nourrissent d'algues ; alors pour les trouver, soulevez le goémon...

Coupez la tête des berniques avec un petit couteau aiguisé, là où se situent les antennes, puis décoquillez-les en passant un couteau à lame fine le long de la coquille. Rincez-les. Pelez les oignons et les carottes, coupez-les grossièrement.

Dans une sauteuse, placez le beurre avec les oignons et les carottes, ajoutez les berniques. Laissez suer jusqu'à ce qu'il n'y ait plus de liquide, pendant environ 15 min. Ajoutez alors la farine et mélangez énergiquement.

Versez de l'eau à hauteur et portez à frémissement. Laissez cuire 30 min environ, à petit feu sans couvrir. Salez et poivrez. Pelez les pommes de terre et coupez-les en gros morceaux égaux. Ajoutez-les au mélange. Laissez cuire encore 20 à 30 min, testez leur cuisson avec la pointe d'un couteau, et servez.

Mes Conseils...

- Les berniques émettent un petit claquement quand elles sont cuites.

POUR 10 PERSONNES
PRÉPARATION 20 MIN
CUISSON 1H

LE FIAN VENDÉEN AU LAURIER

DE RONY

POUR LA PÂTE
250g de farine
150g de beurre mou
1 oeuf

POUR L'APPAREIL À FLAN
1l de lait entier
3 petites feuilles de laurier
7 oeufs
150g de sucre, soit 7 c. à s.

Fian ou fion selon les villages et les patois, voilà le flan traditionnel vendéen. Autrefois, le fian était fait d'une pâte « échaudée », c'est-à-dire cuite à l'eau bouillante (comme celle des bagels américains bien qu'elles n'aient aucun lien), puis séchée avant d'y verser l'appareil à flan appelé « la fionaï ». Rony, qui en préserve la recette avec passion a opté pour une version plus simple qui reste fidèle à la tradition, puisque la pâte brisée est précuite au bain-marie. Un dessert qui se sert dans le plat et dont l'aspect rustique fait une grande partie du charme.

Sortez un plat à gratin ovale en terre ou porcelaine et un autre plus grand pour pouvoir y loger le premier. Préchauffez le four à 160 °C (th. 5).

Préparez la pâte : sur le plan de travail, versez la farine et creusez un puits. Mettez-y le beurre ramolli et mélangez avec le bout des doigts. Ajoutez l'œuf, puis un peu d'eau. La pâte doit rester sèche pour être bien sablée. Étalez la pâte pour qu'elle déborde largement du moule. Enfoncez-la dans le moule et rabattez les bords à l'extérieur. Ne coupez pas les bords, le fian doit avoir l'air rustique. Versez un peu d'eau chaude dans le plus grand plat ou sur le lèchefrite, puis déposez le moule avec la pâte, en veillant à ce que l'eau ne touche pas la pâte. Enfournez et laissez cuire 20 min.

Pendant ce temps, préparez l'appareil : portez le lait à frémissement. Retirez du feu et ajoutez le laurier. Laissez infuser à couvert 5 min, puis retirez les feuilles. Cassez et fouettez longuement les œufs et le sucre dans un saladier. Versez le lait sans cesser de battre. Versez sur la pâte et remettez au four. Laissez cuire 35 min. Pour décorer, déposez les feuilles de laurier sur le dessus du flan après 20 min de cuisson, pour éviter qu'elles ne coulent. Servez frais et mangez à la main !

Mes Conseils...

• Vous pouvez aussi mélanger tous les ingrédients de la pâte dans un robot et mixer rapidement jusqu'à la formation d'une boule grossière. • Pour stabiliser votre moule et laisser passer l'eau de toutes parts, disposez quelques feuilles de journal dans le fond du grand plat avant d'y déposer le moule.

ÎLE DE RÉ

La jonchée

C'est dans sa crèmerie, la seule du village de La Flotte, que Patrice Mihura m'a fait découvrir cet étonnant fromage. Il doit son nom aux petits joncs ramassés à la main dans les marais, dans lesquels est déposé le caillé de vache. Celui-ci est coagulé, comme on le faisait au Moyen Âge, par une pressure végétale, la chardonnette recueillie dans la fleur de chardon. La jonchée ne se conserve que quelques heures et ne voyage pas. Un produit éminemment local, qui se mange très frais, avec un soupçon de crème et un trait d'extrait d'amande amère, voire une larme de cognac !

Mes Conseils...

• Selon la taille des pommes de terre, coupez-les en deux ou laissez-les entières. • En fin de cuisson, je retire le couvercle pour laisser réduire la sauce.

POUR 4 PERSONNES
PRÉPARATION 15 MIN
CUISSON 1H

SEICHES À LA MOUTARDE
DE MARINETTE

2 seiches d'environ 1,5kg (ou calamars)
30g de beurre
2 c. à s. d'huile d'olive
2 gousses d'ail
4 échalotes
5cl de cognac
1 c. à s. de farine
25cl de vin blanc
1 bouquet garni
800g de pommes de terre, soit nouvelles non épluchées ou à maturité épluchées
1 grosse c. à s. de moutarde en grain
Sel
Poivre

Ah... La seiche de Marinette... Quel souvenir! Je me souviens en particulier de notre arrivée chez elle. Elle allait à la plage, panier à la main, nettoyer ses seiches à l'eau de mer : «La seule façon de les laver correctement» nous dit-elle. Le ton était donné. Si nous avons cuisiné ce ragoût de seiche avec des seiches fraîches, Marinette nous rappelait qu'autrefois ce plat était préparé avec ce qu'on appelle la seiche moitrée, c'est-à-dire séchée sur la poutre d'une grange (!), pour pouvoir la cuisiner toute l'année. Les mouches s'en régalaient alors bien avant la famille... Il y a parfois des traditions culinaires qui évoluent dans le bon sens!

Détachez les têtes des blancs de seiche, coupez les tentacules et jetez les têtes. Videz l'intérieur et découpez les blancs et les tentacules en gros morceaux. Rincez le tout et séchez dans du papier absorbant. Faites chauffer la moitié du beurre et de l'huile dans une sauteuse ou une cocotte. Jetez-y les seiches et faites-les revenir jusqu'à ce que tout le jus de cuisson soit évaporé.

Pendant ce temps, pelez et émincez l'ail et les échalotes. Chauffez le cognac et versez-le sur les seiches bien chaudes. Flambez le tout — pas sous la hotte, qui aspire la flamme, comme nous l'avons fait... ! Ajoutez la farine, remuez puis retirez les seiches de la cocotte. Ajoutez le reste de la matière grasse, les échalotes et l'ail. Laissez fondre. Versez à nouveau les seiches, ajoutez le vin, le bouquet garni, environ 15cl d'eau, puis salez et poivrez. Laissez frémir quelques instants, baissez le feu, couvrez et laissez mijoter 30 min.

Ajoutez les pommes de terre, un peu d'eau si nécessaire, mais pas trop pour que la sauce ne soit pas trop liquide, couvrez et laissez mijoter encore 30 min ou jusqu'à ce que les pommes de terre soient cuites. Déposez les pommes de terre dans le plat de service et ajoutez la moutarde dans les seiches. Remuez et servez.

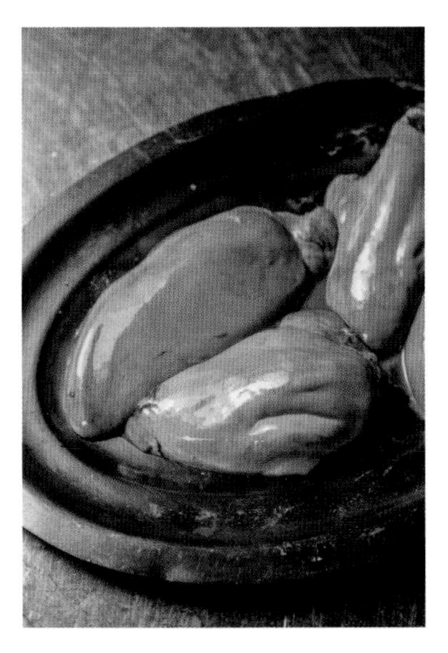

POUR 8 PERSONNES
PRÉPARATION 15 MIN
CUISSON 30 MIN

LE FOIE DE TREMBLE
DE DANIEL MASSÉ

- 2 foies de tremble (ou foie de morue)
- 1 oignon
- 1 blanc de poireau
- 1 branche de céleri
- 2 c. à s. d'huile d'olive
- 4 gousses d'ail
- 25 cl de vin blanc
- 12 g de gros sel
- 5 g de poivre en grains
- 1 bouquet garni
- 1 c. à c. de vinaigre de vin
- 5 brins de ciboulette
- 1 branche de persil

Pêché aux abords de l'Île de Ré, le tremble est une raie torpille dite « raie électrique » car elle envoie de petites décharges à ceux qui la touchent. Cette raie ne se pêche que pour son foie, qui représente plus de la moitié de son poids. Une sorte de foie gras de la mer naturellement engraissé. À savourer sur place – ce poisson se fait rare en dehors des côtes charentaises – chez Daniel Massé, le chef du restaurant Le Chat botté *à Saint-Clément-des-Baleines. À moins que vous ne préfériez acheter votre tremble aux derniers pêcheurs de l'île de Ré, sur le port de Saint-Martin et le cuisiner vous-même selon la recette de Daniel…*

Épluchez l'oignon, lavez le poireau et le céleri, puis émincez-les. Faites-les suer avec 1 c. à s. d'huile d'olive dans une casserole environ 5 min à feu doux. Épluchez et écrasez l'ail, ajoutez-le, puis mouillez avec le vin blanc et 75 cl d'eau. Faites cuire pendant 15 min avec le gros sel, le poivre en grains et le bouquet garni.

Mettez les foies de tremble dans le court-bouillon à léger frémissement pendant 10 min, retirez-les et laissez refroidir, puis entreposez au réfrigérateur au moins 2 h. Pour le dressage, coupez les foies de tremble en tranches dans les assiettes, arrosez légèrement d'huile d'olive et de quelques gouttes de vinaigre, puis parsemez de ciboulette et de persil. Accompagnez de toast de pain tièdes.

Mes Conseils…

- Vous pouvez également ajouter quelques gouttes de citron.
- En accompagnement, servez des pommes de terre tièdes de l'île de Ré en robe des champs.

L'ECLADE DE MOULES
DE FRANCK

500 g de moules
1 planche en bois

Souvenir d'une cuisine primitive, ce barbecue de moules typiquement charentais est aussi savoureux que spectaculaire. C'est LE plat incontournable pour un pique-nique de plage. Veillez à bien disposer les moules pointe vers le haut pour éviter qu'elles ne soient farcies de cendres.

Ébarbez grossièrement les moules. Posez-les sur la planche de façon à ce qu'elles s'ouvrent vers le bas, côté plateau pour ne pas recevoir de cendres. Recouvrez d'aiguilles de pin bien sèches. Mettez le feu à 3 ou 4 endroits de cette couverture d'aiguilles. Lorsque les flammes sont éteintes, chassez les cendres énergiquement, à l'aide d'un carton par exemple, puis apportez le plateau à table.

Prévoyez de beurrer des tartines de beurre salé des Charentes pour accompagner, à la mode charentaise, ces délicieuses moules fumées et servez-les avec des pommes de terre cuites au diable.

Franck Moreau a planté sa cabane à huîtres à l'extrémité de l'Île de Ré. Un coin sauvage qui offre une vue à couper le souffle. Avant de me préparer une éclade de moule, il m'explique comment il affine ses huîtres dans les marais de l'île (que l'on appelle claires de Marennes).

En terre poreuse, le diable permet d'enfermer les pommes de terre qui vont y cuire à l'étouffée sur le feu avec quelques poignées de gros sel et des aromates. Leur peau se frippe et brunit sans charbonner. Elles se mangent entières, juste coiffées d'une lamelle de beurre.
Des Charentes et demi-sel bien sûr !

POUR 3 PERSONNES
PRÉPARATION 25 MIN
CUISSON 15 MIN

LES GALIPETTES D'ALAIN

9 gros champignons de Paris de 100 g chacun environ
Sel
Poivre

POUR LA FARCE AU CHÈVRE
2 bûches de chèvre, type Soignon®, soit 200 g environ
5 brins de persil
1 bonne c. à s. d'huile d'olive
1 c. à c. d'herbes de Provence

POUR LA FARCE AUX RILLETTES
180 g de rillettes à température ambiante

POUR LA FARCE AU BEURRE D'ESCARGOTS
125 g de beurre demi-sel
1 bouquet de persil
1 ou 2 gousses d'ail, selon leur fraîcheur
3 ou 4 biscottes
200 g d'escargots en conserve

C'est dans les sous-sols de Paris, creusés de galeries, que la culture des champignons dits « de couche » se développa au XIXe siècle. L'arrivée du métro repoussa nos champignons vers les bords de Loire, aussi humides que les bords de Seine, notamment en Anjou. Ces galipettes sont destinées à utiliser les têtes des très gros champignons, souvent difficiles à vendre mais parfaits pour être farcis ! Comme le suggère Alain, imaginez toutes les farces que la gourmandise vous inspire. On les appelle galipettes car ils cassent souvent sous leur poids et font une galipette en roulant sur le chapeau...

Préchauffez un four à pain, un barbecue fermé ou encore votre four à 250 °C (th. 8). Préparez la farce au chèvre en mixant tous les ingrédients. Préparez la farce au beurre d'escargots en mixant les ingrédients et un tiers des escargots. Coupez le reste des escargots en deux, et ajoutez-les à la farce.

Coupez les pieds des champignons à ras des chapeaux et nettoyez ceux-ci à l'aide d'un torchon humide. Retournez-les côté plat vers le haut, salez-les et poivrez-les généreusement. Sur 3 d'entre eux, étalez la farce au chèvre, façonnez de petites galettes de rillettes entre vos mains et déposez-les sur 3 autres champignons. Étalez enfin la farce au beurre d'escargots sur les 3 derniers.
Déposez les champignons farçis sur une grille placée au-dessus d'un plat et enfournez. Laissez cuire 15 à 20 min environ au four ou au barbecue. Les champignons doivent « chanter », c'est-à-dire que les farces doivent crépiter. Le beurre d'escargots cuit un peu plus vite que les autres.

Servez bien chaud avec une salade verte et accompagnez ce plat d'un vin rouge fruité, comme un saumur champigny.

Dans les caves de Jacky, champignonniste.

POUR 6 À 8 PERSONNES
PRÉPARATION 15 MIN
CUISSON 3H

CUL DE VEAU À L'ANGEVINE
DE SOPHIE

1 quasi de veau de 1,5kg environ
60g de beurre
2 c. à s. d'huile de tournesol
3 gros oignons
2 grands morceaux de barde
1kg de champignons de Paris
30cl de vin blanc
5 à 10cl de vin d'épine (apéritif à base de vin rouge et de plantes à 15°C au goût de griottes) ou de porto
50cl de fond de veau
1 bouquet garni de saison
5 rillons ou 125g de lard demi-sel
1 talon de jambon cru
2 ou 3 branches d'estragon
1kg de shiitakes
20cl de crème épaisse
3 jaunes d'œufs
Sel
Poivre

Sophie et son mari proposent des chambres d'hôtes dans leur maison du XVIIe siècle et sont également vignerons en biodynamie. Il suffit d'entrer dans sa cuisine pour comprendre que Sophie y passe une bonne partie de son temps et qu'elle y fait des merveilles. Comme ce «cul de veau», rebaptisé «quasi» par les esprits chastes, que les angevins aiment à laisser mijoter longtemps pour obtenir une viande confite et un jus bien concentré.

Faites dorer le quasi sur toutes ses faces dans une cocotte assez large avec 25g de beurre et l'huile. Préchauffez le four à 210°C (th. 7). Pendant ce temps, pelez et hachez grossièrement les oignons. Retirez la viande, videz le gras de cuisson et tapissez la cocotte de barde. Disposez les oignons, puis la viande dans le fond de la cocotte, salez, poivrez et recouvrez de barde. Enfournez et laissez cuire 30 min. Pendant ce temps, coupez les pieds des champignons de Paris et rincez-les rapidement.
Sortez la viande du four et baissez la température à 180°C (th. 6). Arrosez de vin blanc, de vin d'épine et de fond de veau (le quasi doit être à moitié immergé), ajoutez le bouquet garni, couvrez et enfournez pour 1h30.

Sortez la viande, retirez la barde et filtrez le jus de cuisson. Remettez la viande dans la cocotte, arrosez de jus de cuisson, ajoutez les rillons, le jambon, les champignons de Paris, assaisonnez, ajoutez 1 belle branche d'estragon, couvrez et faites mijoter encore 1h15. Avant la fin de la cuisson, émincez les shiitakes, faites-les sauter à feu vif avec le reste de beurre.

Dans une sauteuse, mélangez la crème avec les jaunes d'œufs, salez et poivrez et ajoutez le reste de l'estragon ciselé. Quand la viande est cuite, égouttez-la ainsi que la garniture, et versez le jus de cuisson sur la crème aux œufs. Faites épaissir à feu vif en remuant constamment.
Émincez la viande en la coupant dans le sens inverse des fibres, entourez-la de sa garniture et nappez de sauce. Accompagnez avec les shiitakes poêlés.

Mes Conseils...

- Sophie accompagne également ce plat de flageolets.

Comment oublier ma partie de pêche avec Florian dont l'activité consiste à fabriquer des mouches (de pêche) ? Un artisanat d'une délicatesse extrême qui a presque disparu en France. Autant dire que l'homme n'en était pas à sa première pêche et que nous avions mis toutes les chances de notre côté pour attraper un brochet. Grâce à Gaëtan Leveugle, chef du restaurant Les canons *à Saumur, j'ai appris le secret des quenelles, ici appelées boudins.*

POUR LA FARCE
400g de chair de brochet, ou d'un autre poisson blanc de rivière
8 blancs d'oeufs, soit 400g net sans coquille
10cl de crème liquide
Sel
Poivre

POUR LA PANADE
30g de beurre
30g de farine
10cl de lait
10cl de fumet de poisson

POUR LA RÉDUCTION D'ÉCHALOTES
3 échalotes
20g de beurre
1 c. à s. de vin blanc d'Anjou
1 c. à s. de cognac

POUR LA SAUCE D'ÉCREVISSE
4 têtes d'écrevisses, prélevées sur les écrevisses
20g de beurre
1 carotte
1 branche de céleri
1 oignon
1 c. à s. de concentré de tomate
1 bouquet garni (une feuille de laurier et quelques brins de thym rassemblés avec une ficelle)
5cl de cognac
25cl de vin blanc d'Anjou
1,5l de fumet de poisson
15cl de crème liquide
Sel
Poivre

POUR LES ÉCREVISSES RÔTIES
8 écrevisses
10g de beurre
1 c. à s. d'huile d'olive
Sel
Poivre

POUR 4 PERSONNES
PRÉPARATION 1H
CUISSON 1H

BOUDINS DE BROCHET AUX ÉCREVISSES

DE GAËTAN LEVEUGLE

Préparez la farce à boudin : passez au mixeur la chair de poisson et les blancs d'œufs. Salez et poivrez. Ajoutez la crème liquide, puis mixez encore avant de filtrer le mélange au travers d'une passoire fine ou d'un tamis. Couvrez de film alimentaire et réservez au frais.

Préparez la panade : faites fondre le beurre dans une petite casserole, ajoutez la farine et laissez cuire à feu moyen en remuant constamment jusqu'à obtenir une matière homogène et épaisse. Avant que le contenu de la casserole ne colore, versez ensemble le lait et le fumet. Remuez encore jusqu'à l'obtention d'une consistance proche de la pâte à choux. Assaisonnez et laissez refroidir.

Préparez la réduction d'échalotes : ciselez finement les échalotes et faites-les suer avec 20 g de beurre à la poêle pour les rendre translucides. Déglacez au vin et au cognac et faites cuire à couvert et à feu doux quelques minutes, puis laissez refroidir.

Mélangez la farce à boudin avec la panade et la réduction d'échalotes, goûtez et rectifiez l'assaisonnement : l'appareil à boudin est prêt, il faut maintenant lui donner forme.

Façonnez les boudins : étirez 30 cm de film alimentaire sur un plan de travail et à l'aide d'une poche et d'une douille de gros calibre, tracez 1 trait régulier d'appareil à boudin de 15 cm de long. Enroulez-le dans 4 à 5 tours de film et coupez l'excédent avec une lame affutée. Séparez le boudin en 3 parties de 5 cm en le tournant ou avec des morceaux de ficelle, comme on le ferait pour confectionner des saucisses. Recommencez l'opération 3 fois pour obtenir 12 boudins de même taille.

Réalisez la sauce d'écrevisse : décortiquez les écrevisses et faites revenir 4 têtes légèrement écrasées dans le beurre bien chaud, ajoutez la carotte, le céleri et l'oignon coupés en morceaux grossiers, le concentré de tomate et le bouquet garni. Au bout de 10 min, déglacez au cognac et ajoutez le vin blanc. Mouillez avec le fumet de poisson, laissez réduire de moitié puis ajoutez la crème liquide. La sauce doit être nappante. Filtrez-la au tamis ou dans une passoire fine. Réservez au chaud.

Portez à ébullition une casserole d'eau et plongez-y les boudins emballés. Laissez frémir pendant 6 à 8 min. Passez les queues d'écrevisse à la poêle à feu vif dans un mélange d'huile d'olive et de beurre. Les écrevisses doivent chanter quand vous les déposez dans la poêle. En les laissant cuire 2 min de chaque côté, elles prendront une jolie coloration. Salez, poivrez.

Dans chaque assiette, disposez 3 boudins, (attention au déballage, ils sont assez fragiles), 2 queues d'écrevisses rôties et nappez de sauce d'écrevisse. Vous pouvez accompagner ce plat de légumes de saison simplement poêlés ou ébouillantés.

POUR 12 PERSONNES
PRÉPARATION 10 MIN
REPOS 6 H

CRÉMETS D'ANJOU
DE SOPHIE

1 kg de faisselle de vache ou de fromage banc non lissé
500 g de crème fraîche bien épaisse
120 g de sirop de canne ou d'agave
Confiture de fruits rouges ou coulis pas trop sucré

Ayant hérité de quelques moules à crémet de son arrière-grand-mère angevine, Sophie a décidé de réveiller ce dessert d'autrefois en le servant à sa table d'hôtes. Cette recette a été créée au début du XXe siècle par Marie Renéaume, cuisinière et crémière à Angers. Curnonsky, le célèbre gastronome, en chanta vite les louanges, lançant du même coup la mode des crémets. L'arrêt de la fabrication des moules mit un coup fatal à ce dessert qui disparut progressivement. Séduite par l'objet autant que par la recette, Sophie a décidé de relancer la fabrication de ces petits moules. Vous pouvez néanmoins utiliser des faisselles ou des verres percés pour égoutter vos crémets.

Égouttez la faisselle. Fouettez la crème jusqu'à ce qu'elle monte en chantilly. Mélangez les deux délicatement sans trop casser la faisselle. Ajoutez le sirop.

Versez le mélange dans des petits moules percés couverts d'une gaze. Posez les moules dans un grand plat et laissez égoutter 6 h au moins. Démoulez et laissez chaque invité retirer la gaze et se servir de confiture.

Mes Conseils...

• Vous trouverez les coordonnées de la potière qui fabrique les moules à crémet, ainsi que celles de la chambre d'hôte de Sophie dans le carnet d'adresses à la fin du livre.

POUR 6 PERSONNES
PRÉPARATION 5 MIN
CUISSON 40 MIN

CASSE-MUSEAUX
DE BÉATRICE

1 fromage frais
  type sainte-maure de 250g
100g de farine
1 oeuf
60g de beurre mou
Sel
Poivre
Herbes de votre choix,
  par exemple du thym

Un apéritif facile et amusant, typiquement tourangeau. Les casse-museaux doivent être un peu secs et craquants pour mériter leur nom!

Préchauffez le four à 180 °C (th. 6). Mélangez tous les ingrédients. Faites des petits tas sur une feuille de papier cuisson posée sur une plaque et enfournez. Faites cuire 40 min. Dégustez tiède ou froid à l'apéritif.

POUR 6 PERSONNES
PRÉPARATION 25 MIN
CUISSON 25 MIN
REPOS 2 H

LA TARTE AUX RILLETTES
ET RILLONS DE TOURAINE DE BÉATRICE

POUR LA PÂTE
100 g de faisselle de chèvre, ou à défaut de vache
100 g de farine
50 g de beurre
1 bonne pincée de sel

POUR LA GARNITURE
150 g de rillettes avec morceaux, type rillettes de Tours
1 gros rillons ou 50 g de lard fumé
3 oeufs
2 c. à s. de crème épaisse
Hysope ou persil haché (herbes du jardin)
Sel
Poivre

Une tarte aux rillettes, cette « brune confiture » chantée par Balzac, natif de Tours ! Sur le papier, on craint l'escalade de gras, pourtant, étalées en couche mince, les rillettes forment une jolie croute dorée et l'ensemble s'avère plutôt léger et estival.
Le coup de la faisselle dans la pâte est une invention de Béatrice. L'humidité et les ferments du fromage ont pour effet de la faire gonfler façon feuilletage. À défaut de faisselle, avec un petit suisse, ça marche aussi…

Sortez les rillettes et le beurre du réfrigérateur. Égouttez la faisselle 1 h minimum dans une passoire fine. Placez-la dans un saladier, ajoutez la farine, le beurre et le sel et mélangez jusqu'à l'obtention d'une pâte homogène. Formez une boule et placez-la au frais au moins 1 h. Préchauffez le four à 200 °C (th. 7), si possible en chaleur sole uniquement. Étalez la pâte très finement : c'est l'un des secrets de la réussite de cette tarte — vous ferez des feuilletés apéritifs avec les chutes ! Recouvrez de pâte un petit moule à tarte de 25 cm de diamètre. Entreposez au congélateur.

Émincez très finement les rillons et retirez les petits morceaux de cartilage. Étalez une fine couche de rillettes sur la pâte, couvrez de lamelles de rillons. Battez les œufs avec la crème, salez, poivrez et ajoutez les herbes ciselées. Couvrez la garniture de cette crème. Enfournez et laissez cuire 25 min.

Déposez la tarte sur la sole du four 5 min avant la fin de la cuisson pour que la pâte dore en dessous. Démoulez à chaud et laissez tiédir sur une grille. Servez tiède ou à température ambiante accompagnée d'une salade.

Mes Conseils…

Le fait de congeler légèrement la pâte permet d'étaler plus facilement les rillettes.

Mes Conseils...

- Commandez votre géline à un bon volailler. Si vous n'en trouvez pas, remplacez-la par une belle pintade.
- Personnellement, je préfère faire sauter les pleurotes réservées au beurre avec des échalotes mais les deux versions sont délicieuses !

POUR 6 PERSONNES
PRÉPARATION 15 MIN
CUISSON 1H10

GÉLINE À LA LOCHOISE

DE BÉATRICE DESNOUE

1 géline de Touraine coupée en morceaux, abats à part (ou 1 belle pintade)
20g de beurre
1 c. à s. d'huile d'olive
4 ou 5 jeunes carottes
10 oignons bottes ou 2 oignons blancs
1 branche de céleri
25cl de vin blanc sec, Béatrice utilise un vin blanc de Chinon, cépage chenin
1kg de pleurotes
Quelques branches de thym
2 feuilles de laurier
20cl de crème liquide
Sel
Poivre

Ancienne race de volaille typiquement tourangelle, la géline avait presque disparu dans les années 1970, balayée par des races anglo-saxonnes à croissance plus rapide et donc plus rentables. À l'initiative de la société avicole, elle a pu être relancée grâce aux efforts d'une poignée d'éleveurs, dont Christine, à qui j'ai eu la chance de rendre visite. Nourries sans granulés ni soja, élevées en liberté dans un jardin merveilleux, ces poules ne pouvaient que donner le meilleur d'elles-mêmes. Dans le carnet d'adresses, vous trouverez les coordonnées de la ferme pour commander ce produit rare. Merci à Béatrice, l'une des plus fines cuisinières de Touraine, pour m'avoir transmis sa précieuse recette.

Faites chauffer le beurre et l'huile dans une grande cocotte. Faites dorer les morceaux de géline sur toutes leurs faces. Grattez les carottes et émincez-les. Lavez les petits oignons. Coupez-en les queues en laissant 5cm de vert. Lavez et hachez finement le céleri au couteau. Retirez les morceaux de volaille et remplacez-les par les oignons. Déglacez au vin blanc et donnez un bouillon.

Salez, poivrez, laissez réduire 3 min puis ajoutez le reste des légumes, un quart des pleurotes et les herbes. Laissez fondre 5 min. Ajoutez les morceaux de géline. Couvrez. Laissez cuire 45 min à petit feu.

20 min avant la fin de la cuisson, ajoutez les pleurotes, puis les abats 10 min avant la fin de la cuisson. Retirez la géline.

Ajoutez la crème et laissez réduire 5 à 10 min sur feu vif. Replacez la géline et laissez-la réchauffer à feu doux et à couvert. Servez bien chaud. Béatrice conseille de ne rien jeter de la carcasse et de l'ajouter dans la cocotte car elle parfume la sauce.

POUR 4 PERSONNES
PRÉPARATION 15 MIN
CUISSON 5 MIN

LA PETITE FRITURE
DE CHRISTOPHE ROUBLIN

POUR LA CHANTILLY
20 cl de crème liquide
2 doses de safran
1 citron
Quelques brins de ciboulette
Sel
Poivre

POUR LA FRITURE
700 g de petites ablettes de 6 à 10 cm (ou éperlans)
100 g de farine
2 l d'huile de friture
1 citron
50 g de chapelure
Sel
Poivre
Cerfeuil pour décorer

C'est dans la Loire et à la ligne que nous avons pêché ces ablettes. Autant dire que nous les avons savourées à leur juste valeur ! À ce mets de choix, Christophe a ajouté une touche déterminante : l'usage de la chapelure pour faire croustiller les poissons. Brillante idée !

Mélangez le safran à la crème liquide et placez au frais. Montez-la en chantilly au batteur. Incorporez le jus de citron, le goût doit en être discret. Ciselez la ciboulette et ajoutez-la. Salez, poivrez et remuez délicatement. Mettez au frais à nouveau.

Chauffez l'huile dans une friteuse à 180 °C. Videz les poissons s'ils sont gros, sinon, laissez-les entiers. Plongez-les dans la farine et remuez bien. Retirez l'excédent de farine en les secouant dans une passoire fine. Jetez-les dans l'huile. Laissez cuire 4-5 min ou jusqu'à ce qu'ils soient légèrement dorés. Égouttez-les et versez-les dans un plat couvert de papier absorbant. Saupoudrez-les immédiatement de chapelure et de sel, remuez.

Servez avec des quartiers de citron et la chantilly décorée d'un brin de cerfeuil.

Mes Conseils...

- Je vous conseille de faire infuser le safran dans la crème à feu doux, puis de la laisser refroidir pour profiter au maximum de ses arômes.
- Si comme Christophe et comme moi-même, vous utilisez du safran en pistils et non en poudre, ajoutez un peu de paprika dans la chantilly pour la colorer.

POUR 8 PERSONNES
PRÉPARATION 20 MIN
CUISSON 30 MIN
REPOS 15 MIN

LE NOUGAT DE TOURS
DE DOMINIQUE

POUR LE FOND DE PÂTE SUCRÉE
70g de beurre mou
140g de farine
1 petit oeuf (45g)
35g de sucre
1/2 c. à c. de sel

POUR LA GARNITURE
120g de fruits confits
3cl de kirsch
80g de confiture d'abricot
80g de sucre semoule
120g de blancs d'oeufs soit 4 blancs d'oeufs
80g de poudre d'amandes

Je dois cette recette à Dominique Briquet, boulanger-pâtissier à Lignières-de-Touraine. Bien éloigné du nougat de Montélimar, mais lointain cousin du nucatum romain – à base de noix, de miel et d'œufs – ce dessert est constitué d'une pâte sucrée, de confiture d'abricot, de fruits confits, le tout recouvert d'une macaronnade. Ses origines remonteraient à la Renaissance, probablement inspiré par Léonard de Vinci, grand amateur d'amandes et de fruits confits. Tombé aux oubliettes après la Seconde Guerre mondiale, ce nougat a retrouvé ses lettres de noblesse grâce à la confrérie du nougat de Tours. Les Tourangeaux ne prennent pas la gourmandise à la légère.

Coupez les fruits confits en petits dés. Arrosez-les de kirsch, remuez bien et laissez reposer. Dans le bol d'un mixeur, mettez tous les ingrédients de la pâte et mixez brièvement jusqu'à la formation d'une boule. Façonnez la boule et déposez-la sur une grande feuille de papier cuisson. Aplatissez-la légèrement et déposez une deuxième feuille de papier cuisson sur le dessus. Étalez jusqu'à un diamètre permettant de tapisser un moule à manqué de 20 cm de diamètre puis placez ce disque au frais 15 min au moins.

Préchauffez le four à 210 °C (th. 7). Garnissez le moule beurré avec la pâte et entreposez 10 min au congélateur. Étalez la confiture sur le fond de tarte et répartissez les fruits confits. Mélangez ensemble la poudre d'amande et le sucre. Montez les blancs en neige ferme, puis ajoutez le mélange sucre-poudre à l'aide d'une spatule. Versez ce mélange sur les fruits et enfournez. Laissez cuire 30 min.

Mes Conseils...

• La recette originelle comprend du cédrat et des abricots confits, peu sucrés, c'est pourquoi je recommande de privilégier les fruits pas trop sucrés. • Je remplace volontiers le kirsch par du marasquin, une liqueur de cerise italienne.

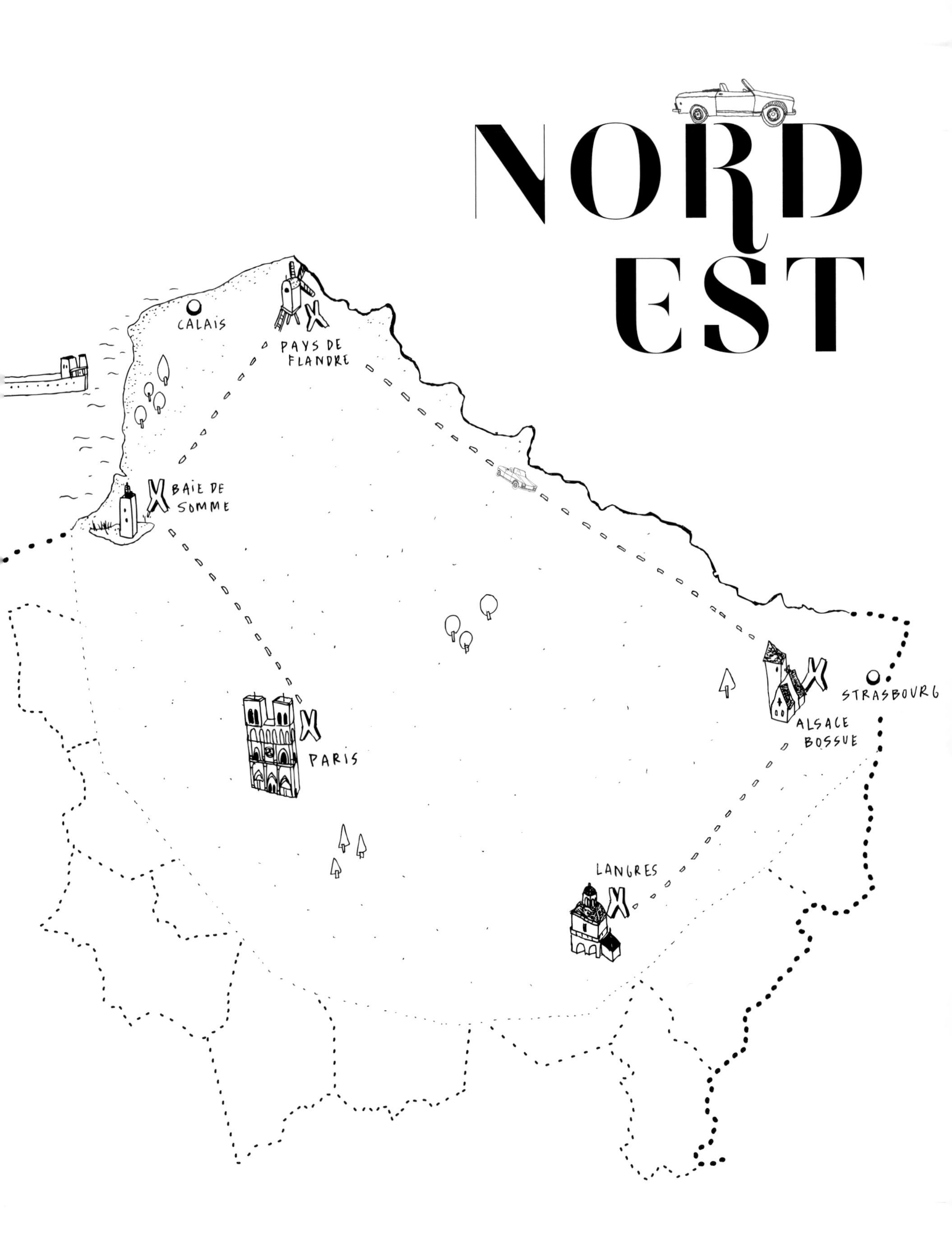
NORD
EST
CALAIS
PAYS DE
FLANDRE
BAIE DE
SOMME
PARIS
STRASBOURG
ALSACE
BOSSUE
LANGRES

PARIS

Nicolas, apiculteur

Sur les toits de Paris, j'ai fait la rencontre étonnante de Nicolas Géant, apiculteur depuis 30 ans. Au sommet de La Tour d'Argent, l'un des plus anciens et des plus prestigieux restaurants de Paris, il a installé six ruches qui lui permettent de produire chaque année 150 kg de miel, utilisé dans les cuisines du Chef Laurent Delarbre. À première vue, je vous l'accorde, les toits parisiens ne semblent pas très propices à l'élaboration d'un miel 100 % naturel. Renseignement pris, Paris bénéficierait d'une biodiversité très favorable à l'activité des abeilles qui, d'après notre ami apiculteur, produiraient un miel plus naturel et moins pollué par les pesticides et les engrais qu'à la campagne. À quand les séjours detox à Paris pour les agriculteurs français ?

POUR 4 PERSONNES
PRÉPARATION 15 MIN
CUISSON 35 MIN

LA GRATINÉE À L'OIGNON
DE BERNARD NOËL

3 oignons moyens
30g de beurre
150g de baguette de la veille
1,5l de bouillon de boeuf maison ou 4 sachets de bouillon Ariaké
5 c. à s. de porto
170g d'emmental râpé, Bernard, quant à lui, utilise du cantal, sa région d'origine
Poivre du moulin

Ah, la gratinée... D'abord consommée au petit matin par les forts des Halles pour se revigorer après une nuit de travail, elle est plus tard devenue le casse-croûte des noctambules, au point qu'on lui a prêté la vertu de secouer les gueules de bois. La gratinée de Bernard, cuisinier de l'un des derniers vrais bistrots des Halles, Chez Denise, peut se consommer à toute heure, sans gueule de bois et sans efforts si vous suivez à la lettre ses conseils. Le mien est de manger cette soupe dès qu'elle a été versée dans l'assiette pour que le pain ne soit pas trop détrempé.

Préchauffez le gril du four. Pelez et émincez les oignons — ne cherchez pas à les couper trop fin. Faites-les fondre 10 min dans une poêle avec le beurre. Coupez la baguette en rondelles de 2 cm d'épaisseur environ et placez-les sur une plaque, bien étalées, dans le bas du four. Retournez-les puis retirez-les quand elles sont bien sèches et dorées.

Portez le bouillon à ébullition. Versez sur les oignons, ajoutez le porto, et laissez cuire encore 15 min à feu moyen. Ajoutez 20 tours de moulin à poivre. Dans une sauteuse ou une cocotte large, versez un tiers de la soupe. Ajoutez un tiers des rondelles de baguette, puis saupoudrez 50 g de fromage. Recommencez 2 fois en terminant par le pain et le reste du fromage. Enfournez 5 min sous le gril en surveillant la cuisson.

La soupe doit être gratinée mais pas brûlée ! Servez avec une louche.

Dans les caves de Marie Quatrehomme, fromagère Meilleur Ouvrier de France, je découvre les secrets d'affinage des fromages d'Île de France : brie de Meaux et de Melun.

Mes Conseils...

- *Les rondelles de baguette disposées sur le dessus ne doivent pas être totalement immergées pour rester un peu croquantes. C'est ce qui donne du relief à cette soupe.*

POUR 6 PERSONNES
PRÉPARATION 25 MIN
CUISSON 25 MIN

LE BOEUF À LA FICELLE
DE CLAUDE

1,2kg de filet de boeuf ficelé en rôti
3l de bouillon de boeuf ou bouillon de pot-au-feu, réalisé avec du boeuf à braiser, des ailerons de volaille, une queue de boeuf et des légumes

POUR LA GARNITURE
400g de carottes
6 pommes de terre rosevals
400g de navets
400g de haricots verts

Un filet de bœuf rapidement trempé dans un bouillon à ébullition, c'est ainsi que les bouchers parigots l'appréciaient au début du siècle. Une autre façon de consommer le rôti, tout aussi savoureux et «saisi» par cette méthode que par la chaleur du four. N'oubliez pas la cuillère en bois qui, posée sur le rebord de la casserole, permet de suspendre le filet.

Pelez les carottes, les pommes de terre et les navets puis lavez-les. Coupez les carottes et les navets en tronçons réguliers de 5cm de long et 1,5cm d'épaisseur environ. Tournez les pommes de terre ou coupez-les en gros dés. Éboutez les haricots verts. Attachez le rôti à une cuillère en bois de façon à pouvoir la poser à cheval sur le récipient de cuisson et y suspendre le rôti sans qu'il ne touche le fond. Portez à ébullition 4 casseroles d'eau salée pour y cuire les légumes séparément.
Choisissez un récipient de cuisson, une casserole ou un faitout dans lequel le rôti peut tenir à l'horizontal. Versez-y le bouillon et portez à ébullition. Plongez le rôti suspendu à la cuillère. Laissez cuire la viande 25 min : il est généralement conseillé de cuire 10 min par livre pour qu'elle soit bien rosée. Plongez individuellement chaque légume dans les casseroles d'eau bouillante. Laissez cuire jusqu'à ce qu'ils soient tendres sans se défaire. Comptez environ 15 à 20 min. Égouttez les légumes et tenez-les au chaud. Égouttez la viande, déficelez-la, puis coupez-la en tranches. Disposez-les sur un grand plat, entourées des légumes.

J'embarque sur la barge du « marché sur l'eau », une association qui collecte des produits frais auprès des producteurs d'Île de France pour les distribuer au marché de Stalingrad. Le transport se fait par voie d'eau pour un impact écologique minimal. Chapeau !

Mes Conseils...

• Demandez au boucher de laisser une bonne longueur de ficelle à chaque extrémité du rôti pour le suspendre. • Le bouillon doit bouillir fortement quand vous y plongez la viande pour qu'elle soit saisie.

LE PETIT TRUC EN PLUS DE CLAUDE :
le dressage est très important, appliquez-vous !

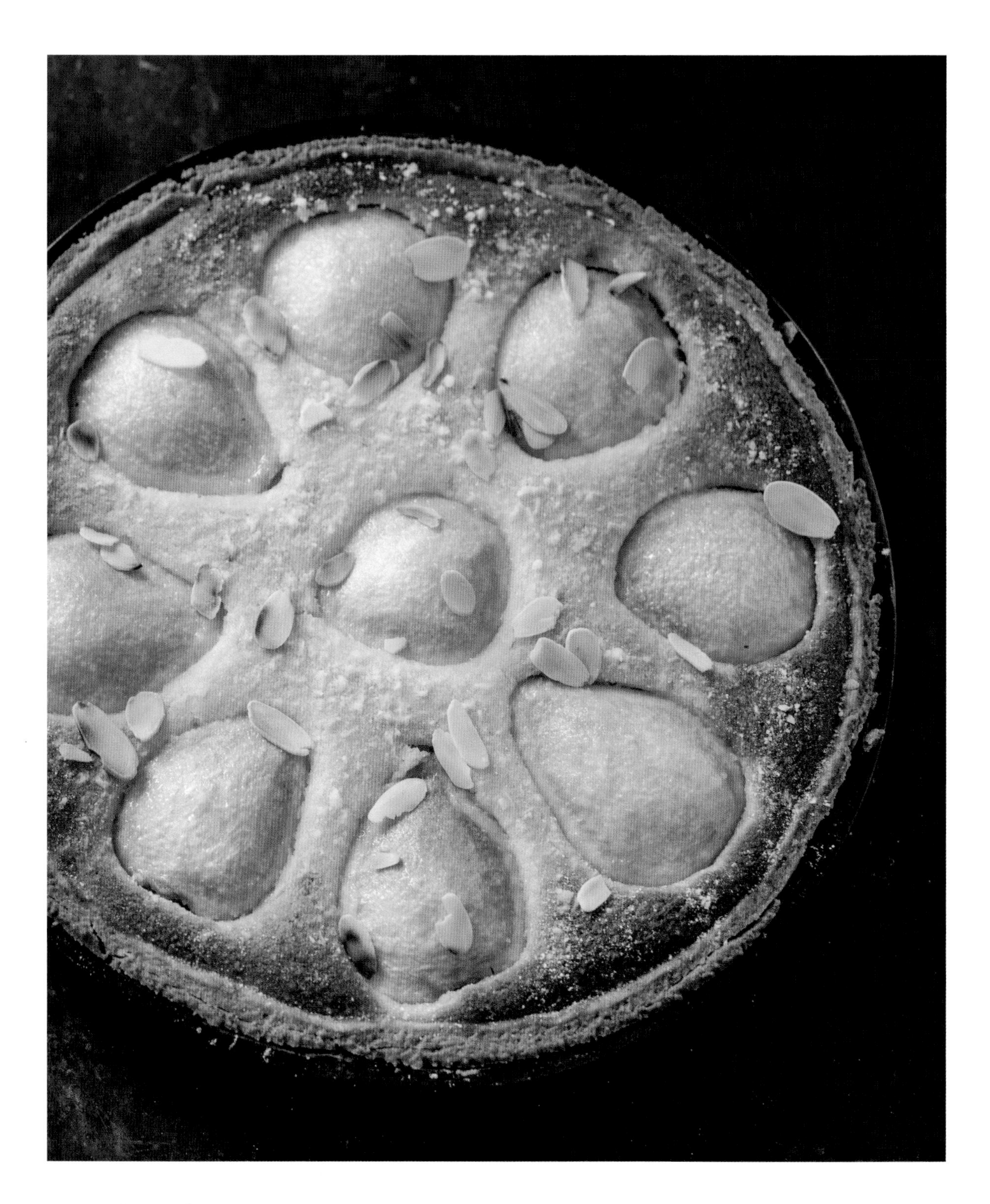

Mes Conseils...

• Pocher les poires est facultatif si elles sont bien mûres. • Pour faire croustiller la pâte, placez le moule quelques minutes sur la sole du four en fin de cuisson.

Petit souvenir
de notre banquet
parisien !

POUR 6 À 8 PERSONNES
PRÉPARATION 35 MIN
CUISSON 1H10

LA TARTE BOURDALOUE
DE CLARA

POUR LES POIRES POCHÉES
5 poires
250g de sucre
1 c. à c. de cannelle
en poudre
4 pincées de clous
de girofle en poudre
5 étoiles de badiane

POUR LA PÂTE SABLÉE
80g de sucre glace
20g de poudre d'amande
230g de farine
1 oeuf
120g de beurre ramolli
2 pincées de sel

POUR LA FRANGIPANE
Pour la crème pâtissière
15cl de lait
5cl de crème fleurette
1 gousse de vanille
ou de la vanille en poudre
2 jaunes d'oeufs
40g de sucre semoule
15g de Maïzena®
Pour la crème d'amandes
130g de beurre ramolli
130g de sucre glace
160g de poudre d'amande
2 oeufs
2 bouchons de rhum ambré
Quelques gouttes d'extrait
d'amande amère

POUR LA PRÉSENTATION
2 c. à s. de sucre glace
20g d'amandes effilées

Cette tarte aurait été inventée à la Belle Époque, par un pâtissier de la rue Bourdaloue, dans le IXe arrondissement de Paris. C'est justement là qu'est installée la maison de Clara, dont c'est le dessert d'enfance.

Préparez les poires pochées : faites bouillir 1 l d'eau avec le sucre et les épices. Pendant ce temps, pelez les poires, coupez-les en deux, enlevez la queue et les pépins. Mettez-les à pocher dans le sirop frémissant pendant 15 min. Égouttez les poires et laissez-les refroidir.

Préparez la pâte sablée en mélangeant d'abord le sucre, la poudre d'amande et la farine. Ajoutez le beurre, l'œuf et le sel. Faites une boule et réservez au froid. Faites une crème pâtissière en faisant bouillir le lait avec la crème et la vanille. Battez les jaunes d'œufs avec le sucre, ajoutez ensuite la Maïzena®. Versez dans le lait chaud et mélangez en gardant sur le feu pour obtenir une crème pâtissière épaisse. Mettez à refroidir.

Préparez la crème d'amande en mélangeant le beurre, le sucre, la poudre d'amande en poudre, puis les œufs. Ajoutez le rhum et l'amande amère. Mélangez cette préparation à la crème pâtissière refroidie.

Préchauffez le four à 180 °C (th. 6). Étalez la pâte entre deux feuilles de papier cuisson après l'avoir retravaillée à la main. Beurrez un moule à tarte ou un cercle à pâtisserie. Foncez la pâte, égalisez les bords, et piquez le fond à l'aide d'une fourchette. Étalez la frangipane sur la pâte, disposez les demi-poires en couronne et enfournez pour environ 40 min. Si la tarte colore trop vite en fin de cuisson, vous pouvez la couvrir d'une feuille de papier d'aluminium. Faites dorer les amandes effilées dans une poêle. 2 min avant de retirer la tarte du four, saupoudrez-la de sucre glace pour qu'elle caramélise. Lorsque le sucre a fondu, répartissez les amandes effilées entre les poires. Dégustez froid ou tiède.

BAIE DE SOMME

Les jardins de Valloires

Adossés à l'une des abbayes cisterciennes les mieux préservées de France, ces jardins sont parmi les plus singuliers de France. Jardins à la française, à l'anglaise, des marais ou des cinq sens, ils constituent un ensemble de 8 hectares enchanteurs en toutes saisons. Chaque espace vous transporte dans un univers différent, les 5000 espèces de végétaux étant réparties non par type ou origine, mais par couleur ou esthétique. Gilles Clément, qui est également le paysagiste du parc André-Citroën à Paris, veille à toujours à laisser le champ libre à la nature et conçoit le jardin comme un ensemble planétaire, toujours en mouvement.

PUY
NICE
A LOUER

POUR UNE VINGTAINE
DE CROQUANTS
PRÉPARATION : 5 MIN
CUISSON : 30 MIN

LE CROQUANT DE TILLEUL

DE LUDOVIC DUPONT

- 5 branches de tilleul avec de jeunes feuilles
- 1 petite poignée de jeunes feuilles de tilleul
- 200 g de tomme nature ou au foin ou de fromage à pâte dure
- 20 g de noisettes
- 10 g de pignons de pin

Ludovic est le chef du restaurant des jardins de l'abbaye de Valloires où j'ai organisé le banquet de notre émission picarde. Un feu follet d'imagination et de fraîcheur à lui tout seul ! Le jardin est son potager, il en connaît chaque plante, chaque fleur, qui trouvent toutes leur place dans sa cuisine. Je me souviens encore de cette tulipe qu'il me fit cueillir et croquer en me recommandant de la tremper dans un caviar d'aubergine… Pour nous recevoir, il avait imaginé cette recette, aussi succulente que spectaculaire : une branche de tilleul dont les feuilles sont « laquées » d'un mélange de comté râpé et de noisettes grillées pour se transformer en tuiles apéritives. Un arbre de gourmandise que l'on grignote à même la branche. C'est peu dire que c'est plus chic que des cacahuètes !

Préchauffez le four à 140 °C (th. 5). Recouvrez une plaque allant au four avec du papier cuisson et posez les branches de tilleul dessus.

Coupez grossièrement la tomme, puis mélangez-la aux noisettes, aux pignons de pin et aux feuilles de tilleul. Mixez le tout très finement jusqu'à ce que le mélange soit bien homogène. Appliquez-le généreusement sur chaque feuille des branches de tilleul. Espacez bien les branches car le fromage s'étale à la cuisson. Enfournez et laissez cuire pendant 30 min.

Laissez sécher, puis recomposez un petit arbre en déposant les branches dans un vase ou dans un autre contenant. Servez, et dégustez !

Mes Conseils…

- *Vous pouvez remplacer le tilleul par de la menthe ou de la verveine*

POUR 8 PERSONNES
PRÉPARATION 10 MIN
CUISSON 35 MIN

LE VELOUTÉ D'ASTER DE REINETTE

POUR LE VELOUTÉ
1,5kg d'aster maritime
500g de pommes de terre
8 c. à s. de crème fraîche épaisse
Sel
Poivre

POUR LES CHIPS D'OBIONE
2 grosses poignées d'obione

Longue échancrure de mer où se jette la Somme, la baie qui porte son nom abrite une fabuleuse faune et une flore aquatique étonnante. Les pêcheurs de la baie sont plutôt des cueilleurs qui, à marée basse, récoltent salicorne, obione et aster maritime, des plantes aquatiques dont nous découvrons aujourd'hui les nombreuses vertus. Lors de ma visite au mois de mai, l'aster était en pleine saison. J'ai donc fait la connaissance de ces feuilles épaisses, à mi-chemin entre la ficoïde glaciale (pour ceux qui connaissent cette salade velue) et la mâche. Feuille d'un arbuste, l'obione pourrait être rapprochée du pourpier. Reinette pratique un métier presque disparu, celui de verrotière, c'est à dire qu'elle cherche dans la vase des vers destinés à servir d'appâts pour les pêcheurs. Autant vous prévenir, un voyage dans la baie de Somme peut vous transporter dans un autre temps, dans un autre monde… L'exotisme se cache moins loin qu'on ne le croit.

Préchauffez le four à 180 °C (th. 6). Pelez, rincez et coupez les pommes de terre en morceaux. Rincez et séchez les asters, placez-les dans une casserole et faites-les tomber sur feu vif comme des épinards.

Pendant ce temps, plongez les pommes de terre dans une casserole d'eau froide non salée et portez à ébullition. Égouttez les asters pour éliminer l'eau et les impuretés relâchées à la cuisson. Ajoutez les pommes de terre précuites et leur eau de cuisson. Couvrez et laissez cuire 25 min ou jusqu'à ce que les pommes de terre soient cuites.

Lavez l'obione, déposez-la sur la plaque du four et faites-la sécher pendant environ 10 min tout en surveillant la cuisson.

Poivrez et salez peu les asters et les pommes de terre, mixez le tout finement. Servez avec la crème fraîche et les chips d'obione.

POUR 8 PERSONNES
PRÉPARATION 30 MIN
CUISSON 1H30

LE BISTEU
DE CHRISTINE

2 rouleaux de pâte feuilletée
800g de pommes de terre à chair ferme
3 échalotes
25 cl de crème fraîche
75 g de poitrine fumée en fines tranches
75 g de poitrine salée en petits cubes
150 g de fromage râpé type gruyère ou comté
1 jaune d'oeuf
Sel
Poivre

Christine, l'épouse de Patrick, l'expert en gâteau battu, m'a fait la surprise d'apporter à notre banquet cette spécialité picarde née au XIXe siècle. Je n'ai donc pas suivi la préparation de la recette mais elle a bien voulu me donner sa recette, entendant mes «hmmmm!» à la dégustation. Le bisteu n'est rien d'autre qu'une tourte de pommes de terre au lard, préparée avec de la pâte brisée ou feuilletée. Croustillant à l'extérieur et moelleux à l'intérieur, ce plat paysan est irrésistible. À condition que vous utilisiez de bons produits, cela va sans dire. À déguster chaud ou froid avec une salade. Cette recette est devenue un de mes classiques.

Préchauffez le four à 170 °C (th. 6). Étalez un disque de pâte au fond d'une tourtière ou d'un plat à tarte. Placez au frais. Épluchez et coupez les pommes de terre en rondelles d'environ 4 mm. Pelez et émincez finement les échalotes. Sur la pâte, disposez un tiers des pommes de terre, repartissez un tiers de la poitrine fumée et salée, un tiers des échalotes, un tiers du fromage rapé, puis un tiers de la crème. Poivrez, salez très légèrement.

Recommencez trois fois l'opération, puis recouvrez d'un autre disque de pâte. Soudez bien les bords. Fouettez le jaune d'oeuf avec une larme d'eau et badigeonnez la tourte avec un pinceau. Dessinez éventuellement des motifs sur le dessus, creusez une cheminée (un trou) au centre.

Enfournez et laissez cuire 1 h 30. Laissez tiédir 10 min au moins avant de couper la tourte. Accompagnez évidemment d'une salade.

Mes Conseils...

- Utilisez un robot pour émincer les pommes de terre plus rapidement.

POUR 12 PERSONNES
PRÉPARATION 15 MIN
CUISSON 2H30
REPOS 12 H

LA CAGHUSE
DE STÉPHANIE

1 rouelle de porc - un morceau bien épais situé au-dessus du jarret - de 1,2kg environ
100g de beurre
2 c. à s. d'huile
1 morceau de jarret sans os de 400g
14 oignons
12cl de vinaigre d'alcool
20cl de cidre brut
20cl de bouillon de boeuf
Sel
Poivre

Caghuse ou caqhuse, ce plat picard se prépare traditionnellement avec un morceau coupé transversalement dans la cuisse du porc, équivalent à la rouelle de veau. Il est désormais difficile de se le procurer chez le boucher car la cuisse est généralement transformée en jambon. La recette tient son nom du plat en terre utilisé pour la cuisson. Vous pouvez servir la caghuse chaude ou bien froide ; dans ce cas, elle s'apparente à un jambon persillé. Accompagnez-la de cidre de Picardie.

Faites dorer la rouelle dans une poêle avec le beurre et l'huile. Pendant ce temps, pelez et coupez les oignons en six dans la longueur. Déposez les deux tiers des oignons dans le fond de la terrine. Couvrez avec la rouelle entière. Ajoutez le jarret pour combler la couche de viande. Salez et poivrez. Recouvrez d'oignons. Portez le vinaigre à forte ébullition et versez-le dans la terrine. Ajoutez le cidre et le bouillon. Salez et poivrez de nouveau. Couvrez avec le couvercle de la terrine. Enfournez à froid et faites cuire 2 h 15 à 180-200 °C (th. 6-7).

Découvrez et faites dorer sous le gril pendant les 15 dernières minutes de cuisson. Laissez refroidir dans la terrine et mettez au réfrigérateur pour une nuit. Servez froid avec des pommes de terre.

Mes Conseils...

• Prévoyez une terrine ovale pouvant contenir la rouelle entière sans avoir besoin de la découper.

POUR 8 FICELLES PICARDES
PRÉPARATION 20 MIN
CUISSON 45 MIN
REPOS 1 H

LA FICELLE PICARDE

DE JOFFRE

POUR LA GARNITURE
180 g d'échalotes
500 g de champignons de Paris
3 c. à s. de crème épaisse (100 g environ)
60 g de beurre
8 belles tranches de jambon de Paris (60 g chacune) découennées et dégraissées
60 g de comté râpé
Sel
Poivre

POUR LA PÂTE À CRÊPES
40 g de beurre
85 g de farine
2 oeufs
17 cl de lait demi écrémé
13 g de sucre
1 pincée de sel

On doit à Joffre la compote de rhubarbe (voir p. 92), mais aussi la célèbre ficelle picarde, emblème de la cuisine picarde. Difficile de trouver meilleur interlocuteur pour nous transmettre les secrets de cette recette puisqu'il est le petit neveu de Louis Pollenne, qui, avec Marcel Lefèvre (tous deux restaurateurs), mirent au point la ficelle en 1958 à l'occasion d'une foire à Amiens. Une recette dont la réputation dépasse largement les frontières de la région et que l'on retrouve au menu de nombreux restaurants locaux. La facilité entraine certains à y ajouter une béchamel mais la recette originelle n'en compte pas comme le rappelle Joffre. Juste une fondue d'échalote au beurre et un voile de comté sur le dessus pour gratiner. Attention : les crêpes doivent être aussi fines que possible.

Pelez et ciselez les échalotes. Dans une petite casserole, faites-les confire 20 min à couvert avec 20 g de beurre. Coupez les pieds des champignons, lavez-les et essuyez-les. Hachez-les grossièrement et mettez-les dans une sauteuse avec 40 g de beurre. Faites cuire à feu vif tout en remuant jusqu'à évaporation complète de l'eau. Incorporez alors le confit d'échalote, 2 c. à s. de crème épaisse, salez, poivrez et laissez frémir 2 à 3 min tout en remuant. Retirez du feu, puis réservez. Faites fondre le beurre et laissez-le refroidir. Dans un saladier, versez la farine et creusez un puits. Battez les œufs à part et intégrez-les à la farine. Incorporez le lait, le sucre, le sel et le beurre fondu en mélangeant au fouet pour éviter les grumeaux. Laissez reposer 1 h. Beurrez légèrement une poêle assez grande et faites-la chauffer sur feu assez vif. Répartissez une petite louche de pâte dans le fond de la poêle et laissez cuire jusqu'à ce que des points dorés apparaissent. Retournez la crêpe et faites cuire encore 30 s à 1 min. Réitérez l'opération jusqu'à l'obtention de 8 belles crêpes. Posez une tranche de jambon sur chacune des crêpes. Répartissez le mélange champignons/échalotes et étalez-le à la spatule. Repliez légèrement les bords des crêpes puis roulez-les délicatement. Préchauffez le four à 200 °C (th. 7). Dans un plat allant au four, posez les crêpes et nappez-les du reste de crème épaisse. Saupoudrez de comté râpé. Mettez au four pendant 15 min environ.

Mes Conseils...

• Je vous autorise à passer les échalotes au mixeur par à-coups pour gagner du temps. N'oubliez quand même pas de les peler ! La recette de pâte à crêpes a été mise au point par Joël Robuchon et Joffre estime qu'elle permet de faire les meilleures crêpes qui soient – et moi j'estime qu'il a bien raison !

POUR 2 GÂTEAUX,
SOIT 12 PERSONNES
PRÉPARATION 45 MIN
CUISSON 30 MIN
REPOS 4 H

LE GÂTEAU BATTU
DE PATRICK

300g de farine
50g de levure fraîche de boulanger
125g de sucre
5g de sel
250g de beurre fondu
11 jaunes d'oeufs
2 blancs d'oeufs
30g de beurre pour les moules

En Picardie, pas un évènement ne se fête sans gâteau battu. Sorte de brioche très enrichie, la pâte doit être longuement battue, puis cuite dans un moule très spécial en fer, à bords hauts, semblable à une toque de cuisinier. Patrick a fait une centaine d'essais avant de trouver LA bonne recette. On le remercie de nous confier le fruit de cette recherche méticuleuse et gourmande. Et comme il faut toujours que j'ajoute mon grain de sel, je vous recommande ce «battu» en pain perdu : trempé dans un mélange de lait et d'œuf et poêlé au beurre et au sucre... Chez moi, tout le monde a adoré! Merci Patrick!

Diluez la levure dans un demi-verre d'eau tiède. Dans la cuve du batteur, placez la farine, le sucre, le sel, les jaunes d'œufs, le beurre fondu, ajoutez la levure et battez au fouet à vitesse moyenne pendant 20 min.

Montez les blancs en neige et ajoutez-les au mélange, fouettez à nouveau pendant 15 min.
Beurrez 2 moules à gâteau battu (des moules en fer cannelés à bords hauts) et versez-y la pâte ; elle doit remplir 1/3 des moules. Couvrez d'un linge humide et entreposez les moules dans une pièce chaude et à l'abri des courants d'air pendant 1 h 30 à 2 h.

Préchauffez le four à 160 °C (th. 5) en chaleur ventilée. Faites cuire les gâteaux 30 min, à mi-hauteur. Laissez tiédir 2 h dans le moule avant de démouler. Servez à température ambiante, accompagné de compote de rhubarbe (voir p. 92).

Mes Conseils...

• Vous pouvez utiliser un moule à kouglof ou à brioche. • Ce gâteau se conserve 1 semaine à température ambiante, bien emballé.

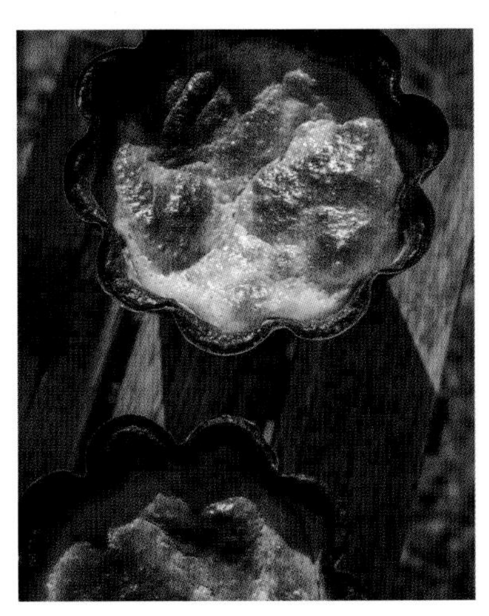

POUR 12 PERSONNES
PRÉPARATION 15 MIN
CUISSON 20 MIN
REPOS 30 MIN

COMPOTE DE RHUBARBE
DE JOFFRE

1,2kg de rhubarbe
200g de sucre
2 gousses de vanille
60g de beurre demi-sel

La Picardie est une terre fertile pour les fruits. Poires et pommes sont le fleuron de cette production, ces dernières permettant aux Picards de produire un délicieux cidre. Les fruits rouges ne sont pas en reste avec la cerise de Sauvigny et les fruits rouges du Noyonnais. La rhubarbe aime les terres fraîches et profondes. Avec la Flandre, la Picardie est l'une des rares régions de France à entretenir sa culture, concurrencée par la rhubarbe polonaise, nettement moins chère — et moins savoureuse! Prenons exemple sur les Anglais, plus familiers que nous de cette plante, qui savent en tirer le meilleur, en sucré ou salé et commençons par la recette de Joffre, tout en simplicité et peu sucrée. Cette compote accompagne traditionnellement le gâteau battu mais aussi des fruits rouges, un fromage blanc, des crêpes, voire un poisson, une viande blanche ou un gibier...

Lavez les tiges de rhubarbe et pelez-les en tirant les filaments extérieurs comme pour des tiges de céleri. Coupez-les en tronçons de 1 à 2 cm. Placez-les dans une sauteuse et ajoutez le sucre et les gousses de vanille grattées. Mélangez et laissez macérer 30 min au moins. Portez sur le feu et laissez cuire en tournant jusqu'à l'obtention d'une compote, soit 20 min environ. Hors du feu, ajoutez le beurre bien froid coupé en dés. Servez frais.

PAYS
DE
FLANDRE

Le jardin de Manu

J'ai eu la chance d'arpenter le fabuleux jardin de Manu, aménagé dans une vieille ferme du Mont-des-Récollets. Cet architecte paysagiste flamand, surnommé l'ambassadeur du Nord, promeut la culture de sa région natale à travers ce jardin contemporain qu'il entretient seul et qui a été primé Jardin de l'année. Il m'a fait visiter les différentes chambres de verdure, comme il aime à les appeler, de ce havre de paix où la nature a tout le loisir de s'exprimer. Après cette promenade au vert, on ne peut plus bucolique, Manu m'a présentée à Bruno, son complice de toujours, qui m'a révélé le secret de la carbonade flamande.

POUR 6 PERSONNES
PRÉPARATION 20 MIN
CUISSON 2H

LA CARBONADE
DE BRUNO

1,8kg de morceaux de viande à braiser : paleron, basse côte, tranche, jumeau, voire bavette ou hampe si vous aimez les fibres longues
3 oignons
1 branche de thym
2 feuilles de laurier
8 tranches de pain d'épices
125g de vergeoise brune
1l de bière : Bruno utilise sa propre bière ambrée, mais les blondes ou brunes conviennent aussi
1 c. à s. de Maïzena®
Sel
Poivre

Faites-moi une promesse, n'oubliez pas d'inscrire la Flandre – j'ai appris que la partie française des Flandres s'emploie au singulier – au programme de vos escapades. Cette région méconnue recèle de véritables joyaux comme le jardin de Bruno et Manu. L'un de ces deux magiciens est également un excellent cuisinier qui m'a fait découvrir ce plat emblématique des estaminets flamands : la carbonade. Ne transigez pas, utilisez de la vergeoise et non de la cassonade. Son petit goût de rhum est inimitable.

Pelez et coupez très grossièrement les oignons. Coupez la viande en morceaux de 5 cm de côté environ. Placez les oignons dans une cocotte. Ajoutez la viande, déposez les herbes dessus, ajoutez le pain d'épices déchiré, saupoudrez de vergeoise et couvrez de bière. Salez, poivrez et portez à ébullition.

Réduisez le feu et laissez frémir en découvrant à mi-cuisson. Laissez cuire 2 h minimum. Épaississez la sauce en fin de cuisson avec un peu de Maïzena®. Testez la tendreté de la viande avec un couteau. Il doit s'y enfoncer très facilement.

Mes Conseils...

• Si vous coupez vous-même votre viande, faites-le perpendiculairement aux fibres pour rendre la viande moins filandreuse. • Un plat riche en sucre, certes (bière, pain d'épices, vergeoise) mais pauvre en graisse! • La plupart des carbonades se préparent en faisant dorer la viande et les oignons au saindoux avant le mijotage. • On ajoute parfois de la moutarde forte à la sauce en début de cuisson. À vous de tester!

POUR 4 À 6 PERSONNES
PRÉPARATION 15 MIN
CUISSON 55 MIN

SALADE DE HARICOTS

LINGOTS DU NORD AUX POMMES ET AUX HERBES DE CHRISTELLE

500 g de lingots du nord
1 bouquet garni
4 c. à s. d'huile d'olive
2 c. à s. de vinaigre de pomme ou de cidre
1 pomme
1 échalote
Quelques branches de persil ou d'herbes fraîches
1 c. à s. de calvados
Sel
Poivre

Au siècle dernier, les paysans de la plaine de la Lys cultivaient plus de 4 000 hectares de ce merveilleux haricot blanc. Aujourd'hui, la production annuelle est estimée à une centaine d'hectares – concurrence étrangère oblige – toujours répartis dans cette fameuse plaine, fortement argileuse, située autour de Merville. Culture et récolte sont entièrement artisanales pour ce fleuron de la gastronomie flamande trop méconnu à mon goût. Sa texture fondante, peu farineuse et sa peau fine permettent d'éviter l'étape fastidieuse du trempage. C'est un haricot en or, qui s'accommode de toutes les spécialités : salades, soupes ou cassoulet.

Plongez les lingots dans une casserole d'eau froide non salée. Portez à ébullition et laissez frémir 10 min. Égouttez-les et rincez-les. Versez-les à nouveau dans le faitout, couvrez de 2 l d'eau non salée et ajoutez le bouquet garni. Portez à ébullition et laissez mijoter 45 min environ. Salez 5 min avant la fin de la cuisson.

Mélangez l'huile et le vinaigre. Égouttez les lingots et arrosez de vinaigrette. Pelez et coupez la pomme en petits dés. Ciselez l'échalote et les herbes. Mélangez le tout aux haricots en ajoutant le calvados. Rectifiez l'assaisonnement. Servez frais mais pas froid.

POUR 6 PERSONNES
PRÉPARATION 15 MIN
CUISSON 4H30
REPOS 27 H

LE POTJEVLEESCH DE GEORGETTE

Modestement intitulé « Le roi du Potjevleesch » le restaurant de Georgette mérite assurément son enseigne. Au point qu'elle n'a pas voulu me donner la recette complète de son « potj », de peur que ses concurrents ne la lui volent. Il m'a fallu déployer des trésors de stratégie pour trouver les composants du bouillon. Pour me dire si ma version est conforme à la sienne, il ne vous reste plus qu'à mettre le cap sur Godewaersvelde et découvrir son estaminet, le bistrot flamand, installé dans d'anciens abattoirs.

POUR LA GELÉE
2 pieds de veau fendus
1 oignon
10 baies de genièvre
10 clous de girofle
Le zeste de 1 citron

POUR LA TERRINE
1 cuisse de lapin désossée
2 filets de dinde
200 g d'échine de porc
200 g d'échine de veau
2 citrons non traités
Sel
Poivre

Placez les pieds de veau dans une casserole et couvrez de 2 l d'eau. Portez à ébullition, puis écumez à l'aide d'une écumoire et diminuez le feu. Pelez l'oignon et coupez-le grossièrement en quatre. Ajoutez-le à la casserole avec 10 baies de genièvre, 10 clous de girofle et le zeste de 1 citron. Laissez réduire à couvert et à feu doux pendant 2 h. Passez ensuite le liquide au chinois pour obtenir une gelée claire et réservez-la dans un récipient à température ambiante.

Coupez les quatre viandes en tranches de 5 mm environ et taillez chaque citron en une vingtaine de petits dés. Tapissez le fond d'une terrine — ou, à défaut, d'une casserole assez grande — avec les tranches d'échine de porc. Salez, poivrez et parsemez de morceaux de citron. Par-dessus, disposez les tranches de veau, salez, poivrez et parsemez de morceaux de citron. Recommencez l'opération avec le lapin, puis la dinde, en tassant bien.

Retirez la graisse au-dessus de la gelée. Refaites fondre la gelée au four à micro-ondes ou à la casserole. Couvrez largement la viande de gelée chaude, et faites cuire à feu vif jusqu'à ébullition. Baissez alors le feu à son minimum, couvrez et laissez cuire 2 h 30. Laissez refroidir pendant 3 h, puis couvrez de film alimentaire et réservez au réfrigérateur 24 h.
Accompagnez ce plat d'une salade verte.

Mes Conseils...

- Vous pouvez ajouter un peu de laurier et un doigt de madère dans la gelée, ainsi que des morceaux d'oignons confits entre les couches de viande de la terrine.
- Attention, la gelée réduit beaucoup lors de la cuisson, il faut donc veiller à avoir un volume deux fois plus important de gelée que de viande.

POUR 25 GAUFRES ENVIRON
PRÉPARATION 10 MIN
CUISSON 1 MIN PAR GAUFRE
REPOS 3 H

LES GAUFRES FOURRÉES À LA VERGEOISE DE VÉRONIQUE

POUR LA PÂTE
500g de farine
1/2 sachet de levure du boulanger
10cl de lait
50g de sucre
100g de beurre
2 oeufs
1 pincée de sel

POUR LE FOURRAGE
200g de vergeoise
125g de beurre fondu

Délayez la levure dans le lait tiède. Versez la farine tamisée dans un grand saladier, ajoutez le sel, le sucre, le beurre à température ambiante et les œufs entiers. Pétrissez le tout, puis ajoutez la levure. Vous devez obtenir une pâte souple et bien lisse. Faites-en une boule et laissez-la reposer au moins 2 h, dans un endroit chaud et à l'abri des courants d'air. Elle doit lever et presque doubler de volume.

Formez des petits pâtons d'environ 25g en forme de cigares avec la pâte levée. Laissez reposer encore 1h. Mélangez la vergeoise et le beurre fondu. Faites chauffer le gaufrier, puis placez-y un cigare de pâte, retirez-le lorsqu'il est cuit et placez-en un autre. Pendant qu'il cuit, ouvrez la première gaufre à l'aide d'un couteau pointu et bien aiguisé, en prenant soin de ne pas la couper complètement. Fourrez-la avec le mélange beurre-vergeoise. Faites de même avec les suivantes.

Mes Conseils...

• *Vous pouvez aromatiser le fourrage selon vos goûts : à la chicorée, au café, à la vanille, au spéculoos, au rhum, au genièvre, etc.*

LE PETIT TRUC EN PLUS DE VÉRONIQUE : il vaut mieux être deux pour réaliser cette recette : une personne pour faire cuire les gaufres et l'autre pour les farcir juste sorties du gaufrier.

POUR 8 PERSONNES
PRÉPARATION 15 MIN
CUISSON 50 MIN

LA TARTE AUX POMMES
D'ANTOINETTE ET BRUNO

POUR LA PÂTE
- 110g de farine
- 110g de sucre
- 60g de beurre
- 1/2 sachet de levure chimique
- 40g de poudre d'amande
- 1 petit oeuf

POUR LA GARNITURE
- 3 grosses pommes grannys, reinettes, cocks ou boskoops, soit 700g
- 100g de beurre demi-sel
- 100g de vergeoise blonde

Bruno tient cette tarte de sa grand-mère Antoinette. À la lecture de cette recette, il se demandera sans doute comment en quelques pirouettes, le beurre a remplacé l'huile et le lait a disparu au profit de la poudre d'amande dans la pâte d'Antoinette. Après avoir testé cette irrésistible recette, j'ai décidé de la « rebiscouler » à ma sauce. Ainsi va la cuisine... J'espère que Bruno et Antoinette ne m'en voudront pas – et je crois que l'esprit est respecté. L'idée brillante de cette tarte-qui-n'en-est-pas-une est de cuire la pâte garnie de pommes dans un premier temps avant de recouvrir le tout de beurre et de sucre pour que le dessus caramélise à l'extrême. Ai-je besoin de vous en dire plus pour vous donner envie de faire de « l'Antoinette » l'un de vos classiques ?

Préchauffez le four à 200 °C (th. 7). Mélangez tous les ingrédients de la pâte et versez-la dans un moule à tarte beurré à bords hauts et à fond amovible de 25 à 27 cm de diamètre.
Pelez et coupez les pommes en quartiers. Enfoncez-les dans la pâte, ils dépassent mais vont s'affaiser. Enfournez et laissez cuire 30 min.

Sortez la tarte du four, mélangez le beurre fondu et le sucre. Versez sur la tarte. Enfournez et laissez cuire 20 minutes de plus. Cette tarte est encore meilleure après un passage de quelques heures au réfrigérateur.

La photo de celle que j'ai cuite à la maison...

Mes Conseils...

• Comme Antoinette, vous pouvez remplacer le beurre de la pâte par 3 c. à s. d'huile. • J'aime bien utiliser des pommes vertes pour compenser le côté sucré de cette recette.

POUR 8 PERSONNES
PRÉPARATION 45 MIN
CUISSON 15 MIN
REPOS 30 MIN

GEFILTI KNEPFLE

RAVIOLES AUX ESCARGOTS ET CHÈVRE FRAIS DE DENIS JUVING

POUR LA PÂTE
500g de farine T55
3 oeufs + 6 jaunes
12g de sel
2 c. à s. d'eau

POUR LA GARNITURE
80 escargots de Bourgogne en conserve au naturel (un peu moins de 2 grosses boîtes d'escargots)
2 échalotes
Sel
Poivre
320g de chèvre frais
200g de beurre d'escargots à température ambiante
30g de beurre

POUR SERVIR
1 pain de campagne un peu rassis
1 bonne noix de beurre
3 brins de persil plat
40cl de crème fraîche
Sel
Poivre

Une spécialité de l'Alsace bossue, généralement cuisinée avec du porc et des herbes mais adaptée par chaque cuisinier. Denis, chef du restaurant Le Charaban, a opté pour des escargots, élevés et très appréciés dans la région à Voellerdingen. Il les associe à du fromage de chèvre destiné à alléger le traditionnel beurre d'escargots. Un classique revisité, une fois n'est pas coutume dans Les Carnets, qui fait une entrée raffinée et originale.

Creusez un puits dans la farine et ajoutez les œufs entiers, les jaunes et le sel. Mélangez à la main et travaillez la pâte pour qu'elle soit homogène, ajoutez 1 ou 2 c. à s. d'eau si elle est trop sèche. Filmez et laissez reposer 30 min au moins à température ambiante.
Égouttez, pressez et hachez 64 escargots grossièrement au couteau. Conservez le reste, puis épluchez et ciselez finement les échalotes. Chauffez le beurre dans une petite poêle. Quand il est bien chaud, ajoutez les échalotes et faites-les suer sans colorer. Ajoutez les escargots hachés, salez, poivrez bien et faites revenir le tout 2 min. Laissez refroidir. Écrasez le chèvre à la fourchette et mélangez-le au beurre d'escargots. Ajoutez le mélange échalotes-escargots. Rectifiez l'assaisonnement. Étalez la pâte au laminoir sur une grande bande.

Étalez cette bande sur le plan de travail fariné. Disposez des petits tas de garniture sur une moitié de la bande, enfoncez un escargot entier au centre, repliez la bande pour recouvrir les petits tas et scellez la pâte en entourant chaque petit tas avec vos doigts et en prenant soin de chasser l'air hors de la raviole. Scellez les bords avec un verre retourné puis découpez la pâte à l'aide d'un emporte-pièce de 6 cm de diamètre. Déposez-les sur une plaque. Faites chauffer à feu très vif le reste du beurre jusqu'à ce qu'il soit noisette et jetez-y les croûtons, faites-les dorer et retirez-les du feu. Portez une grande casserole d'eau salée à ébullition et jetez-y les ravioles. Laissez cuire 2 à 3 min. Portez la crème à ébullition et faites-la légèrement réduire, salez-la et poivrez-la. Égouttez les ravioles et disposez-en 4 par assiette. Arrosez de crème, ajoutez les croûtons et du persil.

Mes Conseils...

• Pour que l'ail ne soit pas dominant, comptez 200 g de beurre d'escargots seulement. • Denis prévoyait la recette pour 4 personnes mais les quantités nourrissent largement 8 bons appétits ! • Ajoutez éventuellement quelques copeaux de chèvre très sec découpés à l'économe.

LE PETIT TRUC EN PLUS DE DENIS : il utilise les gros-gris, très populaires en Alsace, sorte d'hybride entre le petit-gris et le bourgogne. Denis tient de sa grand-mère ce petit truc : il ajoute au beurre d'escargots, déjà composé d'ail, d'échalotes, de persil et de beurre, un peu d'amandes en poudre. Cela évite au beurre de se détacher du reste des ingrédients.

POUR 6 PERSONNES
PRÉPARATION 15 MIN
CUISSON 40 MIN
REPOS 1 NUIT

LE PÂTÉ LORRAIN
DE DENIS

400g de gorge de porc hachée
100g de filet mignon
5 échalotes
10 cl de vin blanc
4 brins de persil
2 rouleaux de pâte feuilletée
1 jaune d'oeuf
Sel
Poivre

L'origine du pâté lorrain remonterait au XIIe siècle. On en retrouve la trace dans Le Viandier de Taillevent, le plus ancien livre de cuisine française. La recette de Denis est, en tous points, fidèle à l'originale.

La veille, taillez le filet en petits dés. Mélangez-le à la gorge hachée. Épluchez et ciselez les échalotes, hachez le persil et ajoutez-les à la viande ainsi que le vin. Salez, poivrez et laissez mariner 1 nuit.

Le jour même, préchauffez le four à 180 °C (th. 6), étalez la pâte feuilletée en 2 rectangles, l'un légèrement plus petit que l'autre. Déposez le plus grand sur la plaque du four recouverte de papier cuisson et étalez la farce en laissant un peu de bord vierge. Découpez trois cheminées sur l'autre abaisse de pâte. Recouvrez-en la farce. Scellez les bords. Dorez au jaune d'œuf et tracez les motifs de votre choix. Enfournez et faites cuire 40 min. Servez chaud mais pas brûlant, avec une salade.

PRÉPARATION 15 MIN
REPOS 5 SEMAINES

LE LARD FUMÉ DE SUZANNE

1 beau morceau de poitrine de porc fraîche de 5 kg, sans côtes
1 tête d'ail
2 c. à s. de poivre moulu
1 poignée de gros sel

POUR LA SAUMURE
Eau salée (180 g de sel + 20 g de sucre par litre)

Installée dans le joli village de Lohr, Suzanne perpétue une tradition à peine éteinte en Alsace : la fabrication maison du lard fumé. Comme c'était le cas dans la plupart des familles françaises il y a encore quelques décennies, elle élève 2 ou 3 cochons qu'elle abat en hiver pour fabriquer les réserves de charcuterie de l'année. Son saloir est installé dans sa cave et le fumoir dans le grenier. Jamais je n'ai gouté un lard aussi parfumé ! Il faut dire que le lard est affaire sérieuse en Alsace : on dit que plutôt que de saler un plat, il vaut mieux y glisser un bout de lard.

Épluchez et émincez grossièrement l'ail. Couvrez le lard côté chair du sel, du poivre et de l'ail. Déposez le lard dans une cuve : Suzanne utilise des fûts de bois. Arrosez de saumure : il faut que l'eau soit au niveau du lard, sans le recouvrir. Laissez saumurer 3 semaines en le retournant tous les 2 jours.

Égouttez et plongez la poitrine 1 nuit dans l'eau fraîche. Brossez, essuyez, séchez la poitrine avant de la passer au fumoir. Fumez à froid, à la sciure de hêtre — les sapins, abondants dans la région, sont trop résineux.

Sortez du fumoir et laissez encore sécher 15 jours dans un endroit frais et aéré. Pour le conserver toute l'année, Suzanne conseille de le couper en morceaux et de les congeler. Sinon, conservez-le 3 à 4 semaines au réfrigérateur.

POUR 4 PERSONNES
PRÉPARATION 20 MIN
CUISSON 6 MIN
REPOS 5 H

FLAMMEKÜECHE DE ROGER, LE MEUNIER DU MOULIN DE WILLER, ET DE SA FEMME ARIANE

POUR LA PÂTE
250 g de farine T55
1 c. à c. de sel fin
1 sachet de levure de boulanger Briochin®
20 cl d'eau tiède

POUR LA GARNITURE
300 g de lard fumé coupé en petites allumettes
1 oignon blanc
560 g de crème épaisse
Poivre

Une tarte flambée que l'on doit aux boulangers alsaciens. Pour tester la chaleur de leur four, ceux-ci enfournaient une mince rondelle de pâte et surveillaient la vitesse de cuisson. Pour ne pas gâcher cette pâte et s'en faire un casse-croûte, ils eurent l'idée d'y ajouter ce qu'ils avaient sous la main : oignons, crème et lard. À ce sujet, deux écoles s'affrontent, ou plutôt trois : celle qui défend la crème fraîche comme c'est le cas de Roger, en Alsace bossue, celle qui ne jure que par le fromage blanc, comme à Strasbourg ou en Moselle et celle qui pré-cuit les oignons. Essayez les trois versions pour vous faire une idée. Comme me l'a expliqué Roger, le four doit être très chaud pour que la tarte soit véritablement flambée. Une chaleur qui, selon lui, doit suffire à cuire les oignons. À condition que vous les ayez coupés très, très finement… Allez, au boulot !

Préparez la pâte : dans un plat creux, versez la farine, le sel, la levure et ajoutez l'eau tiède. Laissez lever 4 h dans un endroit tiède. Séparez en 4 parts. Façonnez chaque morceau en boule, posez-les espacées sur une surface farinée et recouvrez-les d'un torchon. Laissez gonfler 1 h de plus à température ambiante.

Préchauffez le four à température maximale, le mien monte à 300 °C (th. 10). Si vous possédez une pierrade, mettez-la dans le four pour qu'elle chauffe en même temps, sinon, chauffez la plaque du four. Pelez et émincez très finement l'oignon, si possible à la mandoline.

Étalez chaque pâton avec le rouleau sur une surface farinée en un disque de 27 cm environ. Si vous avez une pierrade, sortez-la du four et posez la pâte dessus. Salez et poivrez la crème. Étalez 140 g de crème sur le disque, en laissant 1 cm de bord vierge. Répartissez les oignons, les lardons, ajoutez un trait de crème sur le dessus, poivrez et enfournez. Dans le four à pain, 1 min à 1 min 30 suffisent, dans un four ménager et sur la pierre bien chaude, ou sur la plaque du four bien chaude à défaut, comptez 5 à 6 min. Dans tous les cas, vérifiez que la pâte soit bien dorée.

Mes Conseils...

• Vous pouvez ajouter quelques lamelles de munster ou de gruyère sur le dessus. • Vous pouvez aussi remplacer la crème par du fromage blanc mais personnellement, je trouve le résultat un peu acide. À moins que vous ne fassiez « moit-moit » !

POUR 4 PERSONNES
PRÉPARATION 30 MIN
CUISSON 1H30
REPOS DE 2 MOIS À 1 AN

SÜRI BOHNE
DE MARTINE

- 1kg de haricots verts frais
- 200g de gros sel
- 20g de sucre
- 1 morceau de lard fumé paysan
- 1 morceau de palette de porc fumée
- 4 saucisses type Toulouse ou Morteau, dont la viande est hachée moins fin que les Strasbourg (Martine les appelle des saucisses paysannes)
- 20g de margarine
- 1 petit oignon
- 2 gousses d'ail

Le chou n'est pas le seul légume à être conservé au sel en Alsace. Il en va également ainsi des haricots verts. Rincés et couverts de sel après la récolte, ils sont conservés plusieurs mois dans de grandes jarres avant d'être dessalés et cuisinés comme le chou saumuré. Vous pouvez bien sûr cuisiner cette recette avec des haricots frais mais le sel, et le sucre en moindre proportion, ajoutent un goût aigrelet qui fait tout le caractère de cette «haricroute».

Équeutez les haricots, lavez-les, puis égouttez-les. Placez les haricots dans un saladier, ajoutez le sel et le sucre, puis remuez bien pour les enrober. Versez-les dans un grand pot en grès, couvrez d'un linge au contact des haricots et posez un poids plat (pas trop lourd, type couvercle en bois). Laissez macérer 2 mois minimum, 1 an maximum dans un endroit frais en les remuant de temps en temps pour qu'ils soient bien couverts de saumure.

Égouttez-les et rincez-les soigneusement. Laissez-les tremper dans l'eau fraîche pour les dessaler. Le temps de dessalage dépend du temps de macération : 2 h s'ils ont macéré 2 mois, 1 nuit s'ils ont macéré 1 an. Égouttez-les et plongez-les dans une grande casserole d'eau non salée. Laissez cuire 1 h à 1 h 15.

Pendant ce temps, faites cuire le lard et la palette pendant 1 h 15 dans de l'eau non salée. Quand les haricots sont cuits, égouttez-les. Poêlez les saucisses avec un peu de margarine. Faites dorer légèrement l'oignon haché dans une poêle, épluchez, pressez l'ail et ajoutez-le, puis ajoutez les haricots. Faites-les revenir 5 min en remuant souvent.

Disposez les haricots au centre d'un grand plat creux. Coupez le lard en morceaux épais et la palette en tranches fines, de biais et disposez-les sur les haricots, avec les saucisses. Accompagnez de purée de pomme de terre.

POUR 8 PERSONNES
PRÉPARATION 50 MIN
CUISSON 2H40
REPOS 1H

TARTE AUX QUETSCHES
DE NATHALIE

POUR 3 ABAISSES DE PÂTE FEUILLETÉE
- 500g de farine T45
- 450g de beurre
- 20g de vinaigre doux (Melfor en Alsace)
- 5g de sel

ou 1 rouleau de pâte feuilletée prête à dérouler

POUR LA GARNITURE
- 1 gros bol de quetsches séchées ou de pruneaux
- 10cl de vin blanc sec : nous avons utilisé de l'Edelzwiker
- 100g de sucre
- 100g de crème épaisse
- 1 c. à c. de cannelle
- 1 jaune d'oeuf

Un joi souvenir que celui de cette tarte confectionnée dans la cuisine de poupée de Nathalie, au coin de son poêle traditionnel. Les quetsches sont séchées depuis des siècles dans les fours à pain des maisons alsaciennes pour pouvoir être conservées toute l'année. Si vous ne disposez pas de quetsches séchées, une variété de prunes qui se caractérise par une forme oblongue, remplacez-les par des pruneaux.

Si vous utilisez des quetsches séchées et non des pruneaux, réhydratez-les 1 nuit, égouttez-les et placez-les dans une casserole. Couvrez et laissez cuire 2 h à feu très doux pour qu'elles soient bien compotées. Si vous utilisez des pruneaux, placez-les dans une casserole, ajoutez 1/2 verre d'eau et faites-les cuire 30 min à feu très doux pour les ramollir.
Dans un saladier, réalisez la détrempe en plaçant la farine, 220 g d'eau, 50 g de beurre fondu et refroidi, le vinaigre et le sel. Mélangez rapidement pour que la pâte soit homogène sans trop la travailler. Filmez et laissez reposer 1 h. Sortez le beurre du réfrigérateur. Égouttez quetsches ou pruneaux et dénoyautez-les. Ajoutez le vin à cette compote et passez-la au mixeur. Ajoutez le sucre, la canelle et la crème.
Préchauffez le four à 200 °C (th. 7). Intégrez le beurre dans la détrempe et faites des tours. Étalez la pâte assez finement et placez-la sur un grand moule à tarte. Découpez les bords en passant le doigt sur le rebord de la tarte puis pincez les bords. Étalez la purée de fruit sur le fond de tarte. Découpez à la roulette ou à l'emporte-pièce des décors dans la pâte et déposez-les sur la garniture. Pincez les bords de la tarte entre le pouce et l'index. Diluez le jaune d'œuf avec 1 c. à s. d'eau et dorez-en les chutes de pâte et les bords de la tarte au pinceau. Enfournez et laissez cuire 40 min. Servez tiède.

LE PETIT TRUC EN PLUS DE NATHALIE : elle conseille de poser le moule 2-3 min avant la fin de la cuisson sur la sole du four pour bien cuire le fond.

Mes Conseils...

• Vous pouvez n'utiliser que 70 g de sucre pour les pruneaux au lieu de 100 g pour les quetsches. • Vous pouvez aussi cuisiner cette tarte sans crème fraîche.

POUR 10 PERSONNES
PRÉPARATION 30 MIN
CUISSON 1H10

TARTE MERINGUÉE À LA RHUBARBE DE MARTINE

POUR LA PÂTE SABLÉE
125g de farine
25g de fécule
75g de beurre ramolli
80g de sucre
1/2 oeuf
1 pincée de sel

POUR LA GARNITURE
750g de rhubarbe
soit 600g net environ
100g de sucre
1 oeuf
20cl de lait
1/2 verre de crème fraîche
10cl de crème fraîche
liquide
2 c. à s. de pudding vanille
en poudre ou 2 c. à s.
de Maïzena® et 1 larme
d'arôme vanille

POUR LA MERINGUE
3 blancs d'oeufs
150g de sucre

Un petit bonus offert par Martine – la reine de la choucroute aux haricots –, qui ne voulait pas nous laisser partir sans avoir goûté sa tarte à la rhubarbe. Étant une inconditionnelle de la rhubarbe, je ne me fis pas prier ! La meringue apporte une note croustillante et sucrée qui compense le côté acidulé de la rhubarbe. À fondre de plaisir !

Mélangez tous les ingrédients de la pâte rapidement à la main ou au mixeur. Versez-la dans un grand moule à tarte à fond amovible de 26 cm environ : Martine n'étale pas la pâte au rouleau, c'est cette irrégularité qui caractérise la tarte. Mettez au frais.

Préchauffez le four à 200 °C (th. 7). Lavez la rhubarbe et coupez les extrémités des tiges. Coupez-les ensuite en tronçons de 2 cm de long environ. Couvrez le fond de tarte de rhubarbe. Mélangez le reste des ingrédients de la garniture et versez sur la rhubarbe. Enfournez et laissez cuire 40 min.

Fouettez les blancs d'œufs en neige ferme et ajoutez 150 g de sucre pour les meringuer. Baissez le four à 170 °C (th. 6), retirez la tarte, étalez la meringue et remettez au four pour 30 min. Servez la tarte à température ambiante ; elle se conserve 48 h hors du réfrigérateur.

Mes Conseils...

• J'ai divisé par deux la quantité de pâte (je la préfère fine). • Si vous voulez que la pâte soit bien cuite, précuisez-la après l'avoir piquée de quelques trous 10 min à 200 °C (th. 7). • Hors saison, utilisez 1 kg de rhubarbe surgelée après l'avoir laissée décongeler et égoutter dans une passoire avec 2 c. à s. de sucre.

Mes Conseils...

• Le papier cuisson évite le dessèchement des truites et permet de les cuire à l'étouffée, tout en laissant la sauce réduire. • Nous avons utilisé un 100 % chardonnay pour cette recette. • Pour un plat plus festif, vous pouvez peler et lever les filets. • Le temps de cuisson du poisson dépend bien sûr de sa taille. • Cette recette peut également être préparée avec un brochet.

POUR 4 PERSONNES
PRÉPARATION 20 MIN
CUISSON 35 MIN

TRUITES À LA CHAMPENOISE
DE ANNE

- 4 truites vidées
- 160 g de beurre
- 1 échalote
- 2 brins de thym
- 3 feuilles de laurier
- 1 bouteille de vin blanc sec
- 250 g de champignons de Paris
- 10 cl de champagne brut
- Sel
- Poivre

Anne a voulu faire revivre une recette trouvée dans un livre de cuisine champenoise vieux de plusieurs siècles. Nous n'avons rien changé à la version originelle, hormis la quantité de beurre, divisée par trois (!), les canons de beauté ayant un peu évolué depuis Rubens... Une recette qui redonne ses lettres de noblesse à un poisson relégué au second plan – arêtes obligent – avec cette touche de champagne qui réveille le poisson sans l'acidité agressive du citron ou du vinaigre.

Préchauffez le four à 180 °C (th. 6). Laissez ramollir 30 g de beurre à température ambiante. Beurrez généreusement une cocotte pouvant contenir les 4 truites sans qu'elles ne se superposent. Épluchez et ciselez l'échalote, salez et poivrez l'intérieur des truites. Dans la cocotte, placez l'échalote, le thym, le laurier concassé, disposez les truites côte à côte, salez-les et poivrez-les, puis versez le vin blanc. Beurrez généreusement une feuille de papier cuisson et placez-la sur les truites. Enfournez et laissez cuire 30 min.

Pendant ce temps, pelez les champignons et émincez-les. Faites-les sauter avec 30 g de beurre. Ils doivent être dorés sans être desséchés. Sortez la cocotte du four, égouttez les truites et placez-les dans un plat allant au four. Couvrez de papier cuisson ou d'aluminium et laissez au chaud dans le four à 100 °C (th. 3).

Versez 30 cl de jus de cuisson des truites dans une poêle et faites réduire de trois quarts environ. Versez 5 cl de jus sur les champignons, salez et continuez leur cuisson sur feu doux 5-6 min. Quand le reste de jus de cuisson est nappant, baissez le feu et ajoutez 100 g de beurre bien froid coupé en dés. Fouettez énergiquement pour bien mélanger le tout. Ajoutez le champagne, fouettez un instant, rectifiez l'assaisonnement. Incorporez le jus des champignons s'il ne s'est pas évaporé. Disposez les truites dans un plat, couvrez avec les champignons, nappez de sauce et servez le reste en saucière. Mangez bien chaud !

POUR 6 PERSONNES
PRÉPARATION 10 MIN
CUISSON 20 MIN
REPOS 10 MIN

LA TARTE AU LANGRES
DE FRANÇOISE

300g de langres bien affiné ou moins selon le goût
1 rouleau de pâte feuilletée prête à dérouler
4 oeufs
400g de crème épaisse
1/2 c. à c. de sel
Poivre

C'est peu dire que cette recette est devenue un de mes « best ». Rien de bien particulier au départ dans cette tarte confectionnée avec une pâte industrielle et un appareil à quiche traditionnel. Mais l'idée de Françoise (l'épouse d'un des derniers producteurs de langres fermier de la région) fait toute la différence : plutôt que de râper le fromage ou de le tailler en petits dés, elle le dépose en tranches épaisses sur la pâte. Cette pâte molle à croûte lavée fond comme une raclette au cœur de la pâte. J'ai refait cette tarte avec d'autres fromages que je vous recommande plus bas. Mon coup de cœur ? Le mont des cats rapporté de Flandre, qui fond comme un fromage de raclette : c'est irrésistible. Et n'oubliez pas de la réchauffer à la poêle si votre tarte est passée par le réfrigérateur !

Préchauffez le four à 210 °C (th. 7). Déroulez la pâte dans un grand moule à tarte, placez au frais. Cassez les œufs dans un saladier et fouettez-les. Ajoutez la crème, salez, poivrez et mélangez à nouveau.

Coupez le langres en 10 tranches environ (sans enlever la croûte !) et répartissez-les sur le fond de pâte. Versez la crème aux œufs. Enfournez et laissez cuire 20 à 25 min, de préférence avec une chaleur sole et en plaçant la tarte dans le bas du four. Vérifiez que la crème est bien prise en secouant le moule, la tarte va gonfler comme un soufflé. Laissez retomber et tiédir 10 min, puis servez.

Cette tarte peut aussi se déguster froide. Accompagnez-la d'une salade.

Mes Conseils...

- Si vous ne trouvez pas de langres, remplacez-le par du mont des cats, du maroilles, du munster, voire du livarot ou du pont-l'évêque. Quelques dés de comté ne nuisent pas non plus !
- On peut aussi y ajouter des lardons ou 1 oignon haché.

Joël, Chef propriétaire de L'auberge des Voiliers, installée au bord du lac de la Liez, m'a proposé de réaliser une tourte dont l'origine remonte au XVIIIe siècle. Cette recette demande un peu de temps et de dextérité mais elle est à la portée d'un amateur – j'y suis arrivée ! La farce onctueuse et parfumée, truffée de filets de pigeons entiers et entourée de pâte briochée est irrésistible !

POUR LA PÂTE
- 250g de beurre
- 500g de farine T45
- 5g de sel
- 3 gros oeufs de 55g à 60g chacun
- 20g de levure de boulanger fraîche, ou 5g séchée ou 10g de levain de blé biologique en poudre
- 5cl de lait
- 5g de sucre
- 6cl d'eau

POUR LA FARCE
- 3 ou 4 pigeonneaux selon leur taille, abats à part
- 2 échalotes
- 1 c. à s. d'huile d'olive
- 15cl de vin blanc sec
- 3cl de marc de champagne ou d'autre eau-de-vie, type cognac, armagnac
- 100g de lard gras
- 400g de gorge de porc
- 200g d'épaule de veau ou d'escalope en 1 morceau
- 2 foies de volaille
- 2 oeufs
- 12g de sel par kilo de farce
- 1 branche de thym
- 1 feuille de laurier
- Poivre

POUR LA DORURE
- 1 jaune d'oeuf
- 1 c. à s. de crème liquide

POUR 8 PERSONNES
PRÉPARATION 45 MIN
CUISSON 1 H 30

LA TOURTE BRIOCHÉE AUX PIGEONS

DE JOËL BOURRIER

Préparez la pâte briochée : sortez le beurre à l'avance du réfrigérateur. Dans un saladier, versez la farine et le sel, cassez les œufs au centre, remuez à la main ou au crochet pour mélanger grossièrement les deux éléments. Dans un bol, placez la levure, couvrez de lait tiède et ajoutez le sucre, remuez pour diluer, puis ajoutez au mélange. Intégrez le beurre mou mais pas fondu et l'eau petit à petit, il n'est pas forcément utile d'intégrer toute l'eau, à vous de juger. La pâte doit être bien souple mais non collante. Arrêtez de la travailler dès qu'elle est homogène. Placez au frais le temps de préparer la suite.

Préparez la farce : désossez les pigeons et gardez les filets entiers. Hachez le reste de la chair. Pelez et ciselez les échalotes finement. Dans une poêle, faites chauffer l'huile sur feu vif. Quand elle est bien chaude, déposez les filets de pigeons et faites-les dorer 30 s de chaque côté.
Retirez-les et remplacez-les par les échalotes, laissez fondre 30 s en remuant, versez le vin blanc et l'eau-de-vie, laissez bouillir encore 30 s et coupez le feu. Laissez refroidir.

Hachez au couteau en petits dés le lard, la gorge, le veau, les foies de volailles et les abats des pigeons. Ajoutez les échalotes et les œufs. Pesez cette farce. Ajoutez le sel en sachant que l'on compte 12 g au kilo en moyenne. Poivrez bien. Incorporez le thym effeuillé et la feuille de laurier brisée en tous petits éclats après en avoir retiré la tige.

Préchauffez le four à 180 °C (th. 6). Divisez la pâte en deux parts inégales de deux tiers-un tiers. Étalez la grosse part au rouleau en un disque plus grand que votre moule à tarte. Foncez le moule avec cette pâte en laissant les bords retomber en dehors du moule. Étalez l'autre part en un disque d'un diamètre égal à celui du moule. Ôtez-en un petit disque de 2 cm de diamètre au centre pour la cheminée. Conservez les chutes.

Coupez les filets de pigeons en deux dans la longueur et disposez-les en étoile sur la pâte. Versez la farce sur la pâte, rabattez les bords sur la pâte. Battez le jaune d'œuf et la crème pour faire la dorure et passez-la au pinceau sur les bords de pâte rabattus. Recouvrez du plus petit disque. Dorez-le de la même façon. Façonnez éventuellement les chutes pour faire des décorations et déposez-les sur la pâte, dorez-les également. Enfournez et laissez cuire 45 min, puis baissez le four à 150 °C (th. 5) et continuez la cuisson 45 min.

Mes Conseils... • Pour gagner du temps, vous pouvez demander à votre boucher de hacher la gorge et le gras à la grosse grille. • Demandez à votre volailler s'il peut vous désosser les pigeons, sinon, à vous de jouer !

CENTRE EST
JURA
PAYS DE BEAUNE
HAUTE-SAVOIE
LYON
MASSIF DES BAUGES
CANTAL
VERCORS
ARDÈCHE
NICE
MARSEILLE

POUR 8 À 10 PERSONNES
PRÉPARATION 10 MIN
CUISSON 2 H

SOUPE DE LENTILLES AU PAIN D'HIER

DE FRANCINE

- 500 g de lentilles blondes de Saint-Flour
- 1 gros oignon
- 2 clous de girofle
- 2 carottes
- 3 échalotes
- Bouquet garni : thym, laurier, persil, feuilles de céleri
- 4 pommes de terre (environ 350 g)
- 200 g de pain de seigle de la veille
- 30 g de beurre
- 10 cl de crème liquide
- Sel
- Poivre

Quelle merveille la soupe paysanne de Francine ! De son fils, cultivateur de lentilles de Saint-Flour, elle tient la matière première. L'immense potager qu'elle entretient avec une énergie de jeune fille lui permet d'y apporter le bon goût des oignons, des carottes et des pommes de terre de jardin. Avec cette aptitude toute campagnarde à utiliser les restes, Francine ajoute les morceaux de pain de seigle de la veille qui épaississent la soupe et créent des variations de textures irrésistibles. Ne vous avisez pas de cuisiner cette soupe avec des lentilles du Puy. Le résultat n'en serait peut-être pas trop écorné gustativement mais vous passeriez à côté de cette merveilleuse graine dont la culture a été miraculeusement relancée à la fin du XXe siècle sur les terres volcaniques de la Planèze du Cantal.

Pelez tous les légumes. Coupez l'oignon en deux et piquez-le des clous de girofle. Émincez les carottes et les échalotes. Coupez-les en dés de 2-3 cm de côté environ. Dans une grande cocotte en fonte, placez les lentilles et tous les légumes. Ajoutez le bouquet garni, couvrez de 2,5 l d'eau et placez sur feu vif. Dès les premiers bouillons, diminuez le feu, couvrez et laissez mijoter 2 h.

Avant de servir, salez et poivrez la soupe. Coupez le pain en dés et placez-le dans une soupière. Ajoutez le beurre. Versez les lentilles et le jus de cuisson sur le pain et le beurre. Remuez en enfonçant le pain. Ajoutez la crème. Servez.

Mes Conseils...

• Pour apporter une note de fraîcheur, j'ajoute des herbes au bouquet garni : sarriette, origan frais, et je sers ce plat avec une saucisse coupée en dés. • Les lentilles blondes de Saint-Flour tiennent bien la cuisson et même après 2 h de cuisson, elles restent fermes et entières.

POUR 8 PERSONNES
PRÉPARATION 10 MIN
CUISSON 1H

LE POUNTI
DE BABETTE

200 g de reste de rôti ou de potée
300 g de vert de blettes
50 g d'orties ou d'herbes mélangées
1 gousse d'ail
1 gros oignon blanc
Quelques brins de ciboulette
Quelques brins de persil
150 g de farine, j'aime bien utiliser de la farine semi-complète pour me rapprocher de la saveur du sarrasin
6 oeufs
30 cl de lait
350 g de chair à saucisse
180 g de pruneaux dénoyautés
Huile d'olive
1 petite c. à s. de sel à adapter selon la viande que vous utilisez.
Poivre

Né au début du XIXe siècle, le pounti servait à caler les estomacs en utilisant les bas morceaux et les restes de porc, mélangés au vert de blettes qui abondait dans les cuisines car à l'époque on consommait principalement le blanc. Très répandu dans la région, le sarrasin était fréquemment employé à part égale de la farine de froment. On n'imagine pas une recette plus ouverte : restes de viande cuite ou crue, feuilles de blettes, d'orties, d'épinards ou de ce que vous voulez, toutes les recettes sont acceptées, à condition que la pâte soit bien verte et qu'elle soit truffée de pruneaux entiers. Un conseil : essayez de poêler les tranches dans un peu de beurre, c'est irrésistible !

Préchauffez le four à 180 °C (th. 6). Hachez finement le rôti au couteau et réservez. Épluchez et hachez l'ail et l'oignon. Lavez toutes les herbes (Babette ajoute un peu de vinaigre dans l'eau de rinçage des orties). Hachez-les finement au couteau. Placez-les dans un saladier. Ajoutez l'oignon et l'ail, la farine, les œufs, puis le lait — pas forcément tout, la pâte doit être un peu plus épaisse qu'une pâte à crêpes. Incorporez les viandes, salez, poivrez et malaxez. Tapissez une cocotte ou une terrine de papier sulfurisé huilé et versez-y la préparation. Ajoutez les pruneaux sur le dessus et enfournez pour 1 h sans couvrir. Servez tiède ou froid, en tranches avec une salade.

Mes Conseils...

• Si vous cueillez les orties vous-même, préférez les jeunes pousses – au sommet de la plante – ou les petites, vert clair, au ras du sol. Dans tous les cas, évitez celles qui bourgeonnent. • Vous pouvez remplacer une partie de la farine de blé par de la farine de sarrasin. • J'apprécie plus encore le pounti lorsqu'il est coupé en tranches réchauffées à la poêle. • J'ajoute aussi quelques tranches fines de lard gras sur le dessus du pounti en milieu de cuisson.

POUR 6 BOURRIOLES
PRÉPARATION 5 MIN
CUISSON 3 MIN
REPOS 1 NUIT

LES BOURRIOLES
DE MARTINE

200g de farine de sarrasin
100g de farine blanche de froment
20g de levure fraîche de boulanger
40cl de petit-lait (lactosérum) ou de lait écrémé
Confiture, miel ou fromage

J'ai encore sur la langue le goût noiseté et légèrement acide de ces crêpes d'un autre âge. Martine leur a redonné vie en m'expliquant qu'elles constituaient un repas complet pour le paysan cantalais, souvent garnies des bons fromages de la région ou d'un morceau de lard. Moi, j'y ai vu avant tout une nouvelle façon de cuisiner ce que je tiens pour l'un de nos meilleurs aliments et l'un des plus sains : la farine de sarrasin. Le «blé noir» recouvrait autrefois la partie nord-ouest du Cantal et le bassin d'Aurillac. Dans le reste de l'Auvergne – comme dans la plupart des régions d'ailleurs – le sarrasin était considéré comme la nourriture des pauvres, voire des vaches. Martine utilise ce merveilleux petit lait, résidu de la fabrication du fromage, que les paysans n'imaginaient pas jeter. Ses enzymes favorisent l'action de la levure et les bourrioles n'en sont que plus légères. Rassurez-vous, vous pouvez, comme moi, le remplacer par du lait sans dommages.

Mes Conseils...

• J'utilise une petite poêle, le nombre de bourrioles pour la quantité de pâte réalisée dépend évidemment de la taille de votre poêle. • Avec de l'eau filtrée ça marche aussi très bien ! • N'oubliez pas de laisser refroidir votre poêle entre chaque cuisson contrairement aux galettes.

La veille, mélangez les farines dans un grand récipient creux (attention la pâte va doubler de volume) ; placez la levure dans un bol et versez un peu de petit-lait. Ajoutez ce mélange petit à petit. Fouettez 20 s énergiquement pour éviter les grumeaux. Couvrez d'un linge et laissez lever une nuit.

Le jour même, remuez la pâte et versez-en une louche dans une poêle froide légèrement huilée. Portez sur feu vif et laissez cuire jusqu'à ce que le dessus soit criblé de trous et que le dessous soit bien doré (2-3 min), servez alors salé ou sucré : avec du beurre et de la confiture ou déposez quelques lamelles de fromage (bleu, cantal...) et refermez éventuellement la bourriole avant de la faire glisser hors de la poêle.

ARDÈCHE

Fanny Mariette

C'est au détour de l'une des rues d'Antraigues, ce village médiéval juché sur un éperon rocheux, que j'ai découvert la jolie boutique de Fanny Mariette. Une de ces rencontres qui vous mettent de bonne humeur et vous transportent dans un état d'excitation et d'apaisement à la fois ! Sur les étagères, peu d'objets ; les poteries du jour – à la façon d'un bon restaurant – semblaient être là depuis des siècles tant leur forme, leurs couleurs me semblaient évidentes et intimes. Fanny possède une solide formation de céramiste acquise en Angleterre auprès des plus grands de la discipline. Son travail évoque pourtant le dépouillement et la grâce du raku japonais. Quelle qu'en soit l'origine, les poteries de Fanny mettent un peu de poésie dans notre gourmandise.

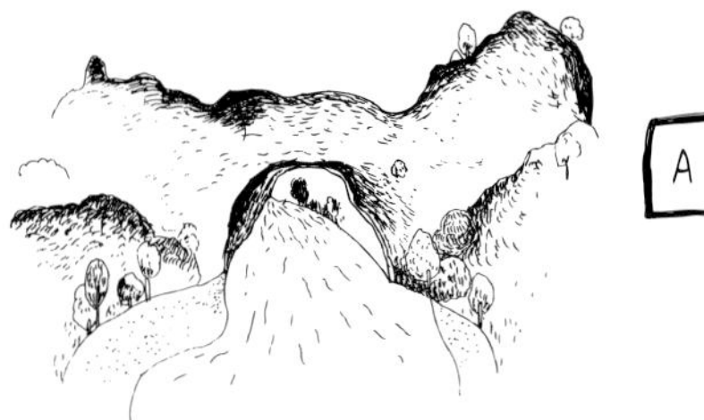

POUR 8 PERSONNES
PRÉPARATION 10 MIN
CUISSON 2 H

LA BOMBINE
DE MARITHÉ

2,5 kg de vieilles pommes de terre
250 g de lardons frais ou fumés si vous ne cuisez pas votre bombine au feu de cheminée comme Marithé
7 à 8 carottes
2 oignons
2 ou 3 gousses d'ail
1 petit morceau de beurre
Quelques feuilles de laurier
Sel
Poivre

Une potée paysanne qui mijote le plus souvent dans les cheminées et s'enrobe alors d'un merveilleux goût fumé. Si vous n'avez ni le pot, ni la crémaillère, optez pour une cuisson plus moderne et un morceau de lard fumé. Mais dans tous les cas, ne transigez pas avec la qualité du lard qui donne tout son goût à cette bombine, que l'on doit prononcer avec l'accent du Sud en faisant traîner le «e»!

Pelez et coupez les pommes de terre en cubes. Faites revenir les lardons dans une cocotte. Lavez et pelez les carottes. Pelez et émincez les oignons, pelez et coupez les gousses d'ail en deux. Ajoutez-les dans la cocotte et faites-les fondre. Ajoutez les pommes de terre, couvrez d'eau bouillante, salez, poivrez, ajoutez des feuilles de laurier. Laissez mijoter 2 h au moins.

Mes Conseils...

• Ce plat peut aussi se cuisiner avec des pieds de cochon, du collier d'agneau ou des saucisses ; dans ce cas, faites revenir la viande avant de l'ajouter. • Les saucisses ne s'ajoutent qu'en fin de cuisson.

POUR 10 PERSONNES
PRÉPARATION 10 MIN
CUISSON 2H45
REPOS 24H

LE COUSINA
DE MARITHÉ

1kg de châtaignes séchées ou châtaignons
2 oignons
6 clous de girofle
6 feuilles de laurier
200g de pruneaux dénoyautés
4 c. à s. de farine de châtaigne
1 c. à s. de farine de blé
50cl de lait entier
Sel

L'Ardèche fait partie de ces régions où s'est développée une véritable civilisation de la châtaigne, telles la Corse ou la Toscane. Ce fruit, au fort pouvoir nutritif, mit pendant des siècles ces populations à l'abri de la famine. Cuisinées fraîches en saison, les châtaignes sont également séchées pour être conservées toute l'année. La soupe de Marithé est une façon traditionnelle de la cuisiner. Les châtaignons – l'autre nom de la châtaigne séchée – ne sont pas très courants dans le commerce, n'hésitez pas à les commander *(cf. page 349)*.

Trempez les châtaignons 24 h dans de l'eau claire. Pelez-les et placez-les dans une grande casserole. Ajoutez 4 l d'eau. Salez avec 2 bonnes c. à c. de sel. Pelez les oignons et piquez-les de clous de girofle. Ajoutez-les avec les feuilles de laurier. Portez à frémissement. Laissez cuire 2 h 30 sans bouillir, en couvrant.

Ajoutez les pruneaux et laissez cuire encore 15 min. Diluez les farines avec 20 cl de lait, incorporez à la soupe en remuant délicatement. Rectifiez l'assaisonnement, donnez un bouillon et servez. Accompagnez d'un petit pot de lait que chacun peut ajouter à sa guise.

Mes Conseils...

• Pour gagner du temps, hydratez les châtaignes 12 h et faites-les cuire 3 h.

POUR 15 PERSONNES
PRÉPARATION 15 MIN
CUISSON 4 H

LA MAÖCHO
D'ELIZABETH

- 1 estomac de porc
- 1 kg de poitrine fraîche
- 500 g de lard
- 1 c. à s. d'huile d'olive
- 1 chou frisé de 2 kg environ
- 1/2 tête d'ail
- 4 échalotes
- 900 g de saucisses
- 150 g de pruneaux dénoyautés
- Sel
- Poivre

Montagne ardéchoise et Ardèche méridionale se partagent l'origine de cette «terrine» un peu particulière. Le pounti des Auvergnats n'est pas loin – celui-ci peut être cuit dans un estomac de cochon et s'appelle alors pountari – même si la maöcho ne contient pas de blettes. Souvent appelée «moche», on pourrait presque dire qu'elle porte bien son nom, jusqu'à ce que l'on découvre les tranches découpées qui laissent apparaître les morceaux de viande, de pruneaux et de légumes dans une jolie mosaïque. N'oubliez pas de commander la veille votre estomac de porc au boucher qui, à partir de ce jour, vous prendra très au sérieux!

Hachez la poitrine et le lard en petits dés et faites-les revenir dans une sauteuse avec l'huile d'olive.

Émincez le chou le plus finement possible. Émincez très finement l'ail et les échalotes. Récupérez la chair des saucisses. Placez le tout dans un grand saladier, ajoutez les pruneaux, salez et poivrez généreusement, puis remuez 5 bonnes minutes en écrasant le mélange entre vos mains pour bien amalgamer les ingrédients.

Rincez soigneusement l'estomac et farcissez-le de la préparation en tassant au maximum pour qu'il soit complètement plein. Cousez les extrémités avec une aiguille à brider et de la ficelle. Enfermez l'estomac dans un torchon en nouant les côtés opposés. Plongez la maöcho dans une grande casserole, couvrez d'eau froide et faites cuire 4 h à petits frémissements. Déballez-la du torchon et découpez en tranches de 2 cm d'épaisseur environ, mangez chaud, tiède ou froid, accompagné d'une salade.

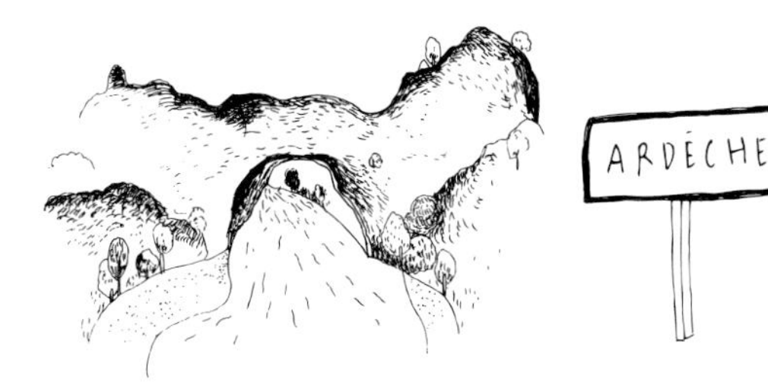

POUR 10 À 12 PERSONNES
PRÉPARATION 15 MIN
REPOS 1 NUIT ET 1 H

MOUSSE DE MYRTILLE

DE CHRISTIANE

600 g de myrtilles sauvages
350 g de sucre
6 jaunes d'oeufs
1 l de crème liquide bien froide
Les graines d'une gousse de vanille

Rien de plus simple que cette recette, hormis la cueillette des myrtilles sauvages ! À défaut, les myrtilles de culture feront l'affaire. Sauf si vous avez des Ardéchois à votre table.

La veille, mélangez 400 g de myrtilles avec 150 g de sucre et laissez macérer une nuit. Gardez le reste pour le décor.

Le jour même, passez les myrtilles au moulin à légumes à grille fine pour obtenir une purée liquide.
Fouettez les jaunes d'œufs avec 150 g de sucre jusqu'à ce qu'ils soient bien clairs. Mélangez avec la purée de myrtille. Montez la crème au batteur avec la vanille jusqu'à ce qu'elle soit bien ferme. Ajoutez 50 g de sucre. Incorporez la chantilly à la purée de myrtille en soulevant la préparation.

Versez dans une coupe transparente. Mettez la coupe au frais 1 h au moins. Ajoutez les myrtilles réservées juste avant de servir.

Mes Conseils...

• J'ai réduit la quantité de sucre à 350 g, ce qui me semble amplement suffisant. • Cette mousse fait une glace délicieuse : placez-la dans un saladier au congélateur et remuez avec une fourchette 2 ou 3 fois à 3 h d'intervalle.

LE PETIT TRUC EN PLUS DE CHRISTIANE : quand elle est prise par le temps, elle utilise parfois le mixeur pour mixer les fruits sans les laisser macérer, puis elle passe la purée au tamis.

POUR 6 PERSONNES
PRÉPARATION 5 MIN
CUISSON 45 MIN

MOELLEUX À LA CONFITURE DE CHÂTAIGNE
DE CHRISTIANE

500 g de confiture de châtaigne (crème de marron)
100 g de beurre fondu
2 jaunes d'oeufs
2 blancs d'oeufs montés en neige

Une autre recette de Christiane l'une des plus fines cuisinières ardéchoises. Super facile et super délicieuse ! Plus fondant que moelleux, ce gâteau se déguste bien froid, avec un coulis de chocolat ou de fruits rouges.

Préchauffez le four à 180 °C (th. 6) en chaleur statique. Mélangez la confiture de châtaigne, le beurre et les jaunes d'œufs. Montez les blancs en neige, ajoutez-les à la préparation. Versez dans un moule à manqué pas trop grand : le gâteau doit être épais. Enfournez et faites cuire 45 min. Servez à température ambiante ou bien frais.

Mes Conseils...

- J'aime bien ajouter 1 larme d'eau de fleur d'oranger à la pâte.

POUR 6 PERSONNES
PRÉPARATION 30 MIN
CUISSON 10 MIN
REPOS 2 À 3 H

LES RAVIOLES DU DAUPHINÉ
DE MARIE-LOUISE

POUR LA PÂTE
400 g de farine très fine T45
2 oeufs entiers + 1 blanc d'oeuf
1 c. à s. d'huile
1 grosse pincée de sel fin

POUR LA FARCE
1 petit bouquet de persil
30 g de beurre
150 g de comté bien affiné
150 g de fromage très frais
1 jaune d'oeuf
Sel
Poivre

POUR LA CUISSON
Bouillon de poule

LE PETIT TRUC EN PLUS DE MARIE-LOUISE : si la farce est trop molle, rajoutez un peu de comté, si elle est trop épaisse, un peu de crème fraîche. Pour hacher le comté sans le réduire en pâte, coupez-le en lamelles fines et laissez-les sécher 24 h au réfrigérateur.

Préparez la pâte : dans un saladier, versez la farine et le sel, ajoutez les œufs et l'huile, puis remuez. Incorporez 10 cl d'eau froide sans cesser de remuer et pétrissez à la main pendant 5 min jusqu'à ce que la pâte soit homogène. Entourez de film alimentaire. Laissez reposer à température ambiante le temps de préparer la farce. Hachez très finement le persil au couteau. Faites-le fondre avec le beurre pendant 10 min sur feu très doux, en remuant souvent. Laissez tiédir. Coupez le comté en petites lamelles et passez-le au mixeur pour le hacher très fin. Placez le fromage frais dans un saladier. Ajoutez le comté, le persil, le jaune d'œuf, salez, poivrez et mélangez.
Prélevez 60 à 80 g de pâte et passez-la au laminoir en l'étalant progressivement le plus finement possible. Vous devez obtenir une bande de 8 cm de large environ. Farinez légèrement le dessous de la pâte, mais pas le dessus car elle ne collerait pas bien. Déposez de petites noisettes de farce au milieu de la bande, en les espaçant d'environ 3 cm. Refermez la partie haute de la pâte sur la farce en commençant par la droite. Maintenez la pâte entre vos doigts avec la main gauche et pressez avec le petit doigt de la main droite entre chaque tas de farce pour sceller les ravioles sans faire de plis. Coupez l'excédent de pâte avec une roulette à ravioli. Prédécoupez les ravioles d'un coup de roulette. N'appuyez pas trop pour pouvoir les déplacer en bande.
Répétez cette opération jusqu'à ne plus avoir de pâte. Déposez les ravioles au fur et à mesure sur une planche couverte d'un linge fariné. Laissez sécher quelques heures au frais. Portez à frémissement le bouillon de poule. Plongez-y les ravioles. Laissez-les cuire 1 min dès la reprise du frémissement. Égouttez et servez. Dégustez tout de suite !

Mes Conseils...

• Pour le fromage frais, je dépose 600 g de faisselle dans une passoire tapissée d'un linge fin, je saupoudre d'1 c. à c. de sel fin et je laisse égoutter 12 h. Sinon, un fromage frais en barquette convient très bien.
• Marie-Louise « raviole » depuis 40 ans : si vous loupez la première tournée, ne vous découragez pas, cela demande un vrai tour de main ! • S'il vous reste quelques ravioles crues, essayez de les faire frire pour les servir à l'apéritif. Très subtil !

Comme vous le savez, ce qui me plaît dans une recette, c'est avant tout ce qu'elle recèle de souvenirs, d'histoire et d'émotion. C'est pour cela que j'ai eu envie de vous faire partager la mémoire d'un plat dont l'origine remonte au Moyen Âge et qui ne se trouve plus aujourd'hui que dans sa version industrielle : les ravioles du Dauphiné. Ces minuscules raviolis garnis de comté, de fromage frais et de persil, (pour la recette la plus courante), sont devenus dès la fin du XIXe la spécialité de «ravioleuses». Le tour de main étant très difficile à prendre et la préparation très longue, les ravioles devinrent alors l'apanage de ces cuisinières à domicile. Ces femmes, souvent agricultrices par ailleurs, proposaient leurs services pour préparer de grandes quantités de ravioles dans les maisons, pour les grandes occasions, baptêmes ou mariages. J'ai eu la chance de rencontrer Marie-Louise qui, à 82 ans, est sans doute la dernière ravioleuse de la région. Elle a accepté de m'initier à ce qui est bien plus qu'une recette.

Je n'ai pas tardé à tenter les ravioles de Marie-Louise à la maison... Prévoyez un grand plan de travail pour garnir votre bande de pâte !

POUR 6 PERSONNES
PRÉPARATION 15 MIN
CUISSON 1H

LE POULET AUX ÉCREVISSES
DE CLAUDE

1 beau poulet de 1,8kg coupé en 12 morceaux
3 c. à s. d'huile de tournesol
21 écrevisses
3 échalotes
1 carotte
1 gousse d'ail
1/2 bouquet de persil
1/2 blanc de poireau
5 cl d'eau-de-vie de prune, de poire ou de cognac
1 bouteille de vin blanc sec de type sauvignon
1 boîte de 140g de concentré de tomate
2 brins de thym
1 feuille de laurier
250g de crème liquide
1 c. à c. de sel
Poivre
Piment de Cayenne

Une alliance très courante dans cette région de lacs et de rivières qui regorgeait d'écrevisses il y a encore 30 ans. Pollution, introduction de nouvelles espèces prédatrices et surpêche ont eu raison de ce crustacé, aujourd'hui importé. Il n'en reste pas moins que cette alliance terre-mer, dont s'enorgueillit la région, est un régal.

Dans une grande cocotte en fonte, faites revenir les morceaux de poulet à feu moyen avec 2 c. à s. d'huile, sans trop les colorer. Pendant ce temps, retirez les intestins des écrevisses en tirant sur la queue. Ajoutez 3 écrevisses non décortiquées dans la cocotte du poulet, couvrez et augmentez le feu. Laissez alors cuire 15 min.

Pendant ce temps, pelez les échalotes, la carotte et l'ail. Hachez avec le persil et le blanc de poireau très finement au robot. Chauffez une grande poêle sur feu vif, versez le reste d'huile, les écrevisses et comptez 5 à 7 min en couvrant et en remuant de temps en temps. Versez alors l'alcool sur les écrevisses non décortiquées et flambez-les.

Couvrez le poulet avec le hachis de légumes, ajoutez les écrevisses, puis le vin dans lequel vous aurez dilué le concentré de tomate, ajoutez le thym et le laurier. Ajoutez le hachis d'aromates, du sel, du poivre et une pincée de piment de Cayenne. Remuez et couvrez. Laissez cuire 30 min à feu assez vif. Ajoutez la crème, rectifiez l'assaisonnement et laissez mijoter encore 10 min environ.

Mes Conseils...

• N'oubliez pas le tablier pour préparer cette recette ni la serviette pour la déguster car la sauce est très « tachante » ! • Selon Claude, ce plat est encore meilleur réchauffé. Servez avec du riz ou des pommes de terre.

POUR 8 PERSONNES
PRÉPARATION 20 MIN
CUISSON 55 MIN
REPOS 1H

TARTE SABLÉE AUX NOIX ET AU CARAMEL

D'ALINE

POUR LA PÂTE SABLÉE
250g de farine
125g de sucre
125g de beurre
1 oeuf entier + 1 jaune d'oeuf
1 pincée de sel

POUR LE CARAMEL
4 c. à s. de lait
100g de sucre
30g de chocolat noir râpé
100g de miel
200g de crème fraîche
230g de noix
20g de beurre

Emotion à Valchevrière, non loin de Villards-de-Lans, où les maquisards réussirent à repousser les Allemands en 1944 avant de mourir arme au poing. Du village incendié, il ne reste que quelques murs et la chapelle, intacte. Un lieu universel et éternel.

La tarte aux noix est l'incontournable réconfort pâtissier des régions de montagne, d'autant plus savoureuse lorsqu'elle est préparée avec des noix bénéficiant d'une AOC comme les noix de Grenoble. Lors de mon voyage dans le Vercors, j'ai rencontré Nicolas et sa femme Laure, issus d'une lignée de nuciculteurs qui remonte au XIIe siècle. Ils apportent un soin tout particulier à ce fruit qui demande un travail constant et très physique. On oublie que les noix ont une saison, car elles sèchent et se conservent aisément, mais elles ne sont jamais aussi bonnes que fraîches, à l'automne. Un conseil : pour leur donner un petit coup de frais, faites-les tremper quelques heures dans du lait.

Dans un saladier, mélangez la farine et le sucre. Ajoutez le beurre bien froid en petits dés et « sablez » la pâte en mélangeant du bout des doigts. Ajoutez l'œuf, le jaune et le sel, puis malaxez rapidement pour former une boule. Laissez reposer 30 min au frais. Préchauffez le four à 180 °C (th. 6). Déposez la pâte sur une feuille de papier cuisson. Étalez-la avec la paume de la main, puis au rouleau. Déposez-la sans retirer le papier dans un grand moule à tarte. Coupez l'excédent sur les bords. Recouvrez de papier sulfurisé, puis de haricots secs et faites-la cuire 25 min. Retirez le papier et laissez cuire encore 5 min.

Dans une casserole, placez le lait et le sucre, ajoutez le chocolat haché finement et le miel. Faites chauffer 5 min à feu très doux sans cesser de remuer. Ajoutez alors la crème. Continuez la cuisson jusqu'à ce que le mélange nappe la cuillère. Comptez environ 15 min. Ajoutez alors les noix et laissez cuire encore 5 min à feu moyen en remuant. Retirez du feu, incorporez le beurre, remuez et versez sur le fond de tarte. Laissez tiédir et placez au frais 30 min.

Mes Conseils...

- ***Utilisez une sauteuse plutôt qu'une casserole pour que la caramélisation soit plus rapide.***

MASSIF DES BAUGES

Tome des Bauges

Dans le petit village savoyard d'Aillon-le-Jeune, Philippe Ginollin et sa femme Sylvie travaillent ensemble à la production d'un fromage local appelé tome des Bauges – ne les vexez pas en évoquant la tomme de Savoie ! Ce fromage au lait cru, à pâte pressée non cuite, était déjà fabriqué dans la région au XVIIe siècle. Préparé selon une méthode traditionnelle, il est affiné pendant 7 semaines sur des planches d'épicéa. Ce résineux neutralise les mauvaises bactéries, celles de la listeria notamment, et se charge de transmettre les bonnes par ensemencement naturel, participant à l'affinage du fromage. Lorsque sa croûte est « tourmentée », il est bon à consommer. Les Baujus le dégustent avec les matafans, autre spécialité du coin (p. 156). À moins que vous ne préfériez comme moi le glisser dans la fondue (p. 160)..."

POUR UNE DIZAINE DE MATAFANS
PRÉPARATION 10 MIN
CUISSON 5 MIN
REPOS DE 12 H À 24 H

LES MATAFANS
DE GINETTE

1 poignée de sucre
1 pincée de sel
50 cl de lait demi-écrémé
1 petite louche d'eau
500 g de farine
6 oeufs
Environ 50 cl d'huile de friture

Matafan ou mate-faim, cette galette frite qui remonte aux temps les plus anciens, apaise les appétits solides. Servie en version salée ou sucrée, elle était autrefois l'un des plats du Carême ou des jours maigres. Dans un contexte plus contemporain, c'est simplement une délicieuse pâte à beignets ! Un conseil : ne cherchez surtout pas à faire une galette «pleine», c'est en version dentelle, pleine de trous, que le matafan est meilleur.

Versez la farine dans un grand saladier, ajoutez le lait et fouettez vigoureusement. Ajoutez l'eau, le sucre, le sel et fouettez à nouveau. Laissez reposer 1 nuit ou idéalement 24 h au frais.

Ajoutez alors les œufs un par un. Faites chauffer 1 bon centimètre d'huile dans une poêle à bords hauts. Versez deux louches de pâte quand l'huile est bien chaude en traçant un cercle avec la louche. Ne cherchez pas à faire une « crêpe » uniforme. Ce qui est bon, ce sont les petits morceaux en dentelle bien croustillants ! Quand le matafan est bien doré d'un côté, au bout de 2 ou 3 min, retournez-le et laissez dorer l'autre face. Égouttez sur du papier absorbant et faites cuire le reste de pâte.

Servez bien chaud, avec du fromage, dans le Massif des Bauges, avec de la tome des Bauges, une salade verte et des pommes de terre bouillies.

Mes Conseils...

- Conservez les matafans à four doux le temps de cuire toute la pâte.
- La pâte des matafans est aussi utilisée pour y plonger des rondelles de pommes et les cuire en beignets.

POUR 6 PERSONNES
PRÉPARATION 30 MIN
CUISSON 45 MIN
REPOS 1 NUIT

DIOTS AUX SARMENTS
DE CHRISTIANE

Les diots sont sans doute les saucisses savoyardes les plus renommées. Christiane, en digne fille de charcutier, les prépare elle-même ; mais le plus étonnant dans cette recette n'est pas tant celle des saucisses que le mode de cuisson, très ingénieux : dans une vaste marmite en fonte, elle dépose un lit de sarments et d'aromates sur lesquels elle fait reposer, en suspension, les diots et les pommes de terre. Elle verse ensuite du vin blanc dans le fond du récipient pour que les aliments cuisent dans une vapeur où se mêlent les arômes du vin, des aromates et de la vigne. Un grand plat qui nous prouve les vertus d'une cuisine presque primitive.

POUR LES SAUCISSES
600g d'épaule de porc
400g de poitrine de porc
2 gousses d'ail
18g de sel fin
2g de poivre
20cl de vin rouge un peu corsé
1g de noix de muscade râpée
Boyaux de porc

Quelques sarments de vigne
1/2 tête d'ail
1 oignon
3 clous de girofle
Quelques branches de thym
1 branche de laurier
1l de vin blanc de cuisine
6 grosses pommes de terre

La veille, placez la viande dans un saladier. Ajoutez l'ail pelé et dégermé, le sel, le poivre, le vin et la noix de muscade. Mélangez intimement. Laissez reposer dans un endroit frais pendant 1 nuit.
Le jour même, faites tremper les boyaux dans un peu d'eau-de-vie pour les dessaler. Placez la viande dans le poussoir et remplissez le boyau. Tordez le boudin obtenu tous les 10cm environ pour former les saucisses.

Dans une grande cocotte en fonte, placez suffisamment de sarments pour qu'ils remplissent la moitié de la cocotte. Ajoutez la tête d'ail non pelée coupée en deux, ainsi que l'oignon épluché piqué de clous de girofle, le thym et 1 branche de laurier. Versez le vin dans le fond de la cocotte. Déposez les pommes de terre en suspension sur les sarments puis ajoutez les diots. Posez le couvercle, portez à ébullition et laissez cuire 45 min. Quand les pommes de terre sont cuites, coupez le feu. Servez accompagné d'une salade verte et, comme en Rhône-Alpes, d'un gratin de cardons à la moelle.

Mes Conseils...

- Laissez sécher les saucisses 1 journée avant de les cuire : cela renforce leur goût.

POUR 6 PERSONNES
PRÉPARATION 5 MIN

FONDUE SAVOYARDE OU BAUJUE DE SYLVIE

300 g de comté ou un fromage équivalent sans croûte
300 g d'emmental ou un fromage équivalent sans croûte
300 g de beaufort ou un fromage équivalent sans croûte
300 g de tome des Bauges sans croûte
30 cl de vin blanc de Savoie, type apremont
1/2 gousse d'ail
5 cl de kirsch ou d'eau-de-vie de poire, de prune...
Muscade
Poivre blanc
2 baguettes à la croûte bien épaisse

Vue de la capitale, une fondue est une fondue. Mais en parcourant les vallées alpines comme je l'ai fait pour remplir le carnet que vous avez entre les mains, j'ai découvert qu'il existait une variété infinie de fondues. Les variations tiennent principalement aux types et aux quantités de fromages. Une pâte dure comme le beaufort et une pâte molle comme la tomme sont les incontournables de la fondue, mais là aussi, souvent tomme varie... Le débat court aussi sur l'ail, certains ajoutent des cèpes séchés, d'autres du cidre plutôt que du vin. En bref, à vous de jouer selon l'inspiration et les moyens.

Coupez les baguettes en rondelles de 2 cm d'épaisseur environ, puis coupez chaque rondelle en deux. Laissez sécher le temps de préparer la fondue.
Retirez la croûte des fromages puis coupez-les finement ou passez-les au robot-coupe avec le plus gros couteau de 4 mm. Placez-les dans le caquelon, arrosez de vin blanc, ajoutez l'ail pressé, la muscade, le poivre et remuez sur feu moyen. Attention, le fromage fond lentement, n'ajoutez pas trop de vin au début au risque d'obtenir une fondue trop liquide en fin de cuisson. Incorporez le vin petit à petit. Quand tous les fromages sont bien fondus, ajoutez le kirsch, remuez et placez sur le poêlon sur la table.

Mes Conseils...

• Si la fondue est trop liquide, diluez 1 c. à s. de Maïzena® avec le kirsch avant de l'ajouter. • Quels que soient les fromages employés, comptez 200 g par personne. • Si vous ne trouvez pas de tomme des Bauges, utilisez de la tomme de Savoie mais ne le dites pas aux Baujus ! • La fondue traditionnelle savoyarde se cuisine sans tomme. • Vous pouvez aussi ajouter des cèpes secs réhydratés en remplaçant une partie du vin par leur eau de trempage.

POUR UNE TRENTAINE DE GOURES
PRÉPARATION 10 MIN
CUISSON 5 MIN
REPOS 2 H À 3 H

LES GOURES
D'ANDRÉE ET GISÈLE

65g de beurre
30cl de lait
40g de levure de boulanger, achetée chez le boulanger
1kg de farine
4 gros oeufs
120g de sucre
5g de sel fin
20cl d'huile de friture

Rares sont les Baujus qui connaissent encore la recette des goures. Heureusement, Andrée a plaisir à la transmettre, avec un sens de l'économie ménagère sans égal. Pas une goutte de pâte qui ne soit perdue, pas un cul-de-poule qui ne soit raclé jusqu'à briller... Nous avons beaucoup ri à ce sujet! Ces petits pains frits étaient sans doute, dans les temps les plus anciens, l'alternative au pain cuit au four communautaire, qu'on n'allumait pas tous les jours et auquel il fallait être admis comme «ayant droit».

Coupez le beurre en dés, placez-le dans une petite casserole, ajoutez le lait et faites fondre sur le feu sans bouillir. Laissez tiédir. Placez la levure émiettée dans un bol et diluez-la avec un peu d'eau tiède. Versez la farine dans un saladier. Creusez un puits dans la farine, cassez les œufs au centre, ajoutez le sucre et le sel, mélangez le tout à la cuillère au cœur de la farine. Ajoutez le lait progressivement, ajoutez enfin la levure diluée. Placez la pâte sur le plan de travail et travaillez-la avec la base de la paume en l'étirant et en la ramenant vers vous pendant 5 min.

Formez une boule et laissez-la reposer 2 à 3 h à 10 °C environ, couverte d'un linge. Une fois la pâte reposée, faites chauffer l'huile dans une grande poêle ou sauteuse. Abaissez la pâte au rouleau. Coupez des petits triangles de pâte d'environ 10 cm de longueur, placez-les sur la tranche et entaillez-les au centre d'un coup de couteau. Déposez-les dans l'huile bien chaude. Faites-les dorer environ 2 min de chaque côté. Égouttez sur du papier absorbant. Servez bien chaud avec du miel, de la confiture ou nature bien sûr, au goûter ou au petit déjeuner.

LE PETIT TRUC EN PLUS D'ANDRÉE : si vous ne cuisez pas la pâte en une seule fois, couvrez le reste d'un linge, puis d'un saladier retourné pour éviter les courants d'air et qu'elle ne se dessèche.

Mes Conseils...

• Je conseille de cuire la pâte petit à petit car ces «brioches frites» sont vraiment meilleures chaudes!

Mes Conseils...

• Beurrez très généreusement le moule !

POUR 8 À 10 PERSONNES
PRÉPARATION 30 MIN
CUISSON 4 H
REPOS 25 MIN

LE FARCEMENT
DE MARIE-ODILE

35 lamelles fines de poitrine fumée
4 tranches de poitrine fumée de 1 cm d'épaisseur
3 kg de pommes de terre bintjes, pas trop jeunes
125 g de beurre
1 oignon
3 oeufs
2 c. à s. de Maïzena® ou de farine
1 c. à s. rase de sel
Muscade
250 g de raisins secs
500 g de pruneaux dénoyautés
Poivre

Cette recette fait remonter le souvenir de ce banquet chez Marie-Odile, si empreint de générosité et de chaleur, ce qui était bienvenu en Haute-Savoie en décembre, brrr! L'occasion pour moi de découvrir ce que l'on peut considérer comme le plat national savoyard, témoignage d'une cuisine moyen âgeuse et de ses saveurs sucrées salées... Le farcement se cuit dans un moule en fer traditionnel appelé «rabolire» mais un moule à savarin fera aussi l'affaire comme sur la photo.

Beurrez un moule à savarin avec 25 g de beurre. Tapissez-le jusqu'en haut des lamelles de poitrine en les faisant se superposer légèrement. N'oubliez pas de tapisser la cheminée ! Placez au frais. Pelez et râpez les pommes de terre avec une râpe fine, de façon à obtenir une purée. Placez cette pulpe dans une passoire fine et laissez égoutter 15 min au-dessus d'un plat.

Pendant ce temps, hachez les tranches épaisses de poitrine en lardons, puis pelez et hachez l'oignon. Faites-les revenir ensemble à la poêle, 10 min environ, en remuant souvent. Versez les pommes de terre égouttées dans un plat creux, ajoutez les oignons et les lardons poêlés, les œufs un par un, la Maïzena®, le sel, le poivre, la muscade. Remuez bien.

Videz alors le jus des pommes de terre pour recueillir l'amidon tombé au fond du plat et ajoutez-le aux pommes de terre. Incorporez ensuite le reste du beurre mou, les raisins secs et les pruneaux. Remuez bien.

Préchauffez le four à 180 °C (th. 6). Versez cette préparation dans le moule. Rabattez les tranches de lard sur cette farce, couvrez le moule de papier aluminium ou de son couvercle, placez-le dans une cocotte à moitié remplie d'eau bouillante et enfournez. Laissez cuire 4 h en chaleur statique, pour reproduire le mode de cuisson de nos grands-mères. Laissez reposer 10 min avant de démouler.

POUR 6 PERSONNES
PRÉPARATION 10 MIN
CUISSON 50 MIN

LA TARTIFLETTE
DE MAGALI

1kg de pommes de terre
à chair plutôt ferme,
type belles de fontenay
2 oignons blancs
30g de beurre
200g de lardons nature
25cl de vin blanc de Savoie,
type apremont
2 c. à s. bombées
de crème fraîche
1 reblochon
Muscade
Sel
Poivre

La tartiflette est un plat savoyard d'invention plutôt récente dont l'ancêtre, la péla, était bien plus modeste : des pommes de terre, des oignons et des lardons revenus à la poêle. Magali a accepté de me transmettre sa recette de tartiflette, sous l'œil bienveillant de son papa Francis. N'ayant connu que la péla dans son enfance, il trouvait ce plat bien riche et ponctuait la recette de «ho la la!» admiratifs devant l'avalanche de fromage, de vin et de crème. Encore un souvenir qui n'est pas prêt de s'effacer…

Pelez les pommes de terre et coupez-les en gros dés. Plongez-les dans une casserole d'eau salée. Portez à ébullition et laissez-les cuire jusqu'à ce qu'elles soient tendres mais encore fermes. Pelez et hachez les oignons en petits dés. Faites-les fondre 5 min avec le beurre à feu vif, ajoutez les lardons et laissez fondre encore 10 min. Incorporez les pommes de terre et faites rissoler à feu vif 5 à 10 min. Ajoutez le vin blanc, salez (peu), poivrez et laissez évaporer quelques instants sans dessécher complètement la préparation.

Préchauffez le four à 200 °C (th. 7). Versez le tout dans un plat à gratin, versez la crème fraîche sur le dessus. Coupez le reblochon entier en deux, puis en deux dans l'épaisseur. Déposez les fromages sur le dessus, côté croûte vers le haut. Laissez cuire tranquillement 25 min.

Mes Conseils…

• Rajoutez un peu de crème et de vin blanc après avoir déposé les fromages. • Ne retirez jamais la croûte du fromage ! • Si le fromage ne couvre pas la totalité de la surface des pommes de terre, ajoutez un demi-reblochon supplémentaire.

LE PETIT TRUC EN PLUS DE MAGALI : servez avec une salade verte et une assiette de charcuterie. N'oubliez pas la bouteille d'apremont !

LE PETIT TRUC EN PLUS DE DANIELLE : les rissoles sont ainsi cuites au fur et à mesure des besoins à l'occasion des fêtes de Noël, car elles sont bien meilleures si on les déguste encore un peu tièdes.

Mes Conseils...

• Ayez la main légère avec le saindoux, une couche fine suffit. • Les poires utilisées traditionnellement pour les rissoles sont très dures et peu sucrées, donc pensez à adapter la quantité de sucre à vos poires.

POUR 6 PERSONNES
PRÉPARATION 20 MIN
CUISSON 1H10
REPOS 2 À 3H

LES RISSOLES AUX POIRES
DE DANIELLE

POUR LA MARMELADE DE POIRE
1kg de poires pas trop mûres
200g de sucre
1 gousse de vanille

POUR LA PÂTE
250g de farine
1/2 sachet de levure
1 sachet de sucre vanillé
1 pincée de sel
1 oeuf
70g de beurre mou
1/2 verre de lait
30g de saindoux ramolli
1l d'huile neutre, de tournesol ou d'arachide

Sorte de petits raviolis ou chaussons aux poires, les rissoles sont la pâtisserie familiale qui accompagne toutes les fêtes savoyardes. Comme le farcement, il existe autant de variantes de ce dessert que de villages, voire de cuisinières : pâte brisée ou pâte feuilletée, cuite au four ou en friture. On trouve même des rissoles salées! De quoi en perdre son latin... Qui n'est pas loin, d'ailleurs, puisque la Savoie et la Haute-Savoie partagent avec le Piémont de multiples traditions, dont celle des ravioles ou ravioli...

Pelez les poires et coupez-les en petits dés. Ajoutez le sucre et la gousse de vanille fendue et grattée, puis laissez cuire 1 h en couvrant de temps en temps. Égouttez la marmelade dans une passoire 1 h au moins. Dans une terrine, mélangez la farine, la levure, le sucre vanillé et le sel. Ajoutez l'œuf entier et mélangez le tout à l'aide d'une spatule ou d'une fourchette. Ajoutez le beurre en dés et brisez la pâte du bout des doigts. Versez le lait, rassemblez la pâte afin de former une boule, pétrissez-la à la paume de la main, puis reformez la boule. Étalez la pâte le plus finement possible et tartinez-la de saindoux. Repliez-la en la roulant comme un cigare afin de former un pâton serré. Laissez-la reposer bien emballée environ 1 à 2 h au frais.

Coupez en deux ce morceau de pâte. Aplatissez grossièrement à l'aide de la paume de la main ce demi-« cigare » de pâte et repliez-le en quatre. Étalez à nouveau au rouleau afin d'obtenir une pâte vraiment très fine. À 10 cm du bord de la pâte, déposez régulièrement de petits tas de marmelade en les espaçant de 5 cm environ, recouvrez-les en rabattant le bord de la pâte et à l'aide d'une roulette de marmelade de poire, découpez les petits coussins formés. Finissez de les souder avec les doigts. Posez les rissoles sur une planche recouverte de papier cuisson parsemé de farine. Gardez le tout dans un endroit frais. Préparez un bain d'huile dans une grande poêle. L'huile doit être bien chaude mais non fumante. Faites cuire les rissoles sur les deux faces. Comptez 10 min environ. Recommencez pour cuire toutes les rissoles. Égouttez et saupoudrez de sucre glace.

POUR 6 PERSONNES
PRÉPARATION 10 MIN
CUISSON 1H
REPOS 2H

CROÛTE AUX MORILLES
DE LAURENCE

100g de morilles séchées
1 échalote
25g de beurre
5cl de vin blanc sec du Jura, Laurence utilise du savignin
1 gousse d'ail
50cl de crème épaisse
Quelques brins de persil
6 tranches épaisses de pain de campagne
Sel
Poivre

Une entrée simple et chic, pour ne pas dire chère, à moins d'habiter le Jura où les morilles se ramassent comme les feuilles mortes quand on connaît les bons coins. Je me sers souvent de cette recette de morilles pour réaliser une sauce accompagnant une tranche de rôti de veau ou de porc, ou même en y ajoutant des asperges ou des pommes de terre pour un délicieux plat végétarien! Merci à Laurence et à Émile pour leur accueil dans leur merveilleuse ferme-chambres d'hôtes (cf. carnet d'adresses p. 349) où je serais bien restée une semaine...

Couvrez d'eau tiède les morilles placées dans un plat creux et laissez-les se réhydrater 2 h minimum.

Pelez et ciselez finement une échalote, faites-la fondre dans une sauteuse avec le beurre. Égouttez les morilles et ajoutez-les dans la sauteuse. Filtrez le jus à travers un filtre à café pour retenir le sable et les impuretés. Versez le vin blanc sur les morilles, laissez évaporer, puis ajoutez l'ail et la moitié de la crème. Salez, poivrez, remuez et laissez mijoter à feu très doux en couvrant pendant 1 h. Arrosez régulièrement avec le jus de morilles.

Ajoutez le reste de la crème en cours de cuisson, quand la préparation a bien réduit. Toastez le pain puis coupez les tranches en deux dans la longueur. Servez les morilles dans des assiettes creuses ou des soupières individuelles, accompagnées du pain.

Mes Conseils...

• Pour une recette moins coûteuse mais pas moins savoureuse, optez pour un mélange de champignons forestiers séchés. • Remplacez le savagnin par un vin jaune.

POUR 10 PERSONNES
PRÉPARATION 15 MIN
CUISSON 2 H

POTÉE FRANC-COMTOISE
DE ROSE-MARIE ET NOËL

- 2 saucisses de Morteau de 300g environ chacune
- 300 de poitrine fumée
- 300g de lard fumé
- 300g de poitrine salée
- 1 palette fumée de 1kg environ
- 1 oignon
- 3 clous de girofle
- 2 gousses d'ail
- 3 branches de thym
- 6 feuilles de laurier
- 1 chou frisé
- 200g de carottes
- 10 navets en botte
- 10 navets boule d'or
- 3 rutabagas
- 5 poireaux ficelés ensemble
- 20 petites pommes de terre

Que ceux qui appréhendent les potées gargantuesques se rassurent : il n'est rien de plus sain ni de plus digeste que ces charcuteries de tradition et ces bons légumes de potager cuits au bouillon. Si je m'écoutais, je servirais cette potée tous les ans à Noël, elle est savoureuse et festive – et simple, soyons honnête... Unique condition pour réussir à ériger ces totems de notre gastronomie au niveau où ils doivent se placer : cuisiner de bons produits.

Plongez les viandes, sauf la saucisse, dans une grande casserole d'eau non salée et portez à ébullition. Laissez frémir 20 min, puis égouttez. Cette opération permet de les dessaler.
Épluchez l'oignon, piquez-le avec les clous de girofle. Mettez 4 l d'eau dans une casserole haute. Plongez la poitrine salée et le lard fumé, la palette et ajoutez l'ail en chemise, l'oignon, le thym et le laurier. Laissez mijoter 45 min. Pendant ce temps, pelez les légumes. Coupez le chou et les rutabagas en deux et lavez les poireaux. Ajoutez au bouillon les légumes et les saucisses et laissez cuire 45 min à 1 h : testez la cuisson des légumes avec la pointe d'un couteau, ils doivent être bien tendres. Égouttez les légumes et mettez-les au centre d'un plat creux. Coupez les viandes et disposez-les tout autour.

Servez bien chaud, éventuellement accompagné de moutarde – mais moi je trouve ça dommage !

Mes Conseils...

• La recette est prévue pour 6 mais elle nourrit aisément 10 bons mangeurs. • Veillez à ce que l'eau reste à frémissement sans bouillir.

PRÉPARATION 5 MIN
CUISSON 35 MIN

"BOÎTE CHAUDE" EN ROBE DES CHAMPS D'YVES

1 vacherin mont d'or de 500g environ
1/2 échalote
10cl de vin blanc sec, type vin d'arbois

Un dîner du dimanche qui, pour moi, vaut pas mal de circonvolutions gastronomiques : un vacherin décalotté, enrichi d'échalote et de vin blanc. Yves le cuit sous la cendre pour lui donner un petit côté confit et un goût fumé mais dans votre four, à 180 °C, l'affaire ne devrait pas vous décevoir non plus. Un conseil : n'utilisez pas le meilleur des monts d'or pour cette recette, pour une fois, je vous recommande de faire vos courses au supermarché !

Les fagots d'écorces d'épicéa, qui viennent cercler traditionnellement le mont d'or.

Épluchez et ciselez l'échalote. Creusez légèrement le mont d'or à la cuillère à soupe en prélevant un peu de croûte et de fromage. Dans le creux, placez l'échalote finement ciselée et le vin, replacez le fromage retiré à la cuillère dans la boîte, refermez le couvercle, emballez la boîte bien serrée dans du papier d'aluminium. Enfouissez-la complètement sous la cendre dans la cheminée ou le four à bois, ou faites-la cuire dans un four classique à 180 °C (th. 6). Laissez cuire 35 min. Le couvercle va brûler, pas d'inquiétude, c'est normal ! Servez bien chaud, à la cuillère.

POUR UNE DOUZAINE
DE TRANCHES
PRÉPARATION 10 MIN
CUISSON 40 MIN

CAKE À L'ORANGE, AUX NOIX ET AU MIEL

DE LAURENCE

- 1 orange non traitée
- 50 g de noix hachées grossièrement
- 1 c. à s. de miel de sapin
- 150 g de beurre mou
- 190 g de farine
- 130 g de sucre
- 1/2 sachet de levure chimique
- 1 pincée de sel
- 3 oeufs

Hôtesse aussi souriante qu'élégante, Laurence est aussi une fine cuisinière, peu avare de ses recettes. Tout en cuisinant ses délicates morilles au vin jaune, elle me proposa une tranche de ce cake dont je lui ai immédiatement demandé la recette. Pour moi, pour vous… pour ceux qui le méritent!

Faites fondre le beurre dans une casserole et laissez-le tiédir. Lavez l'orange et prélevez le zeste avec une râpe fine ou un zesteur. À l'aide d'un presse-agrumes, pressez le jus de l'orange et réservez-en 120 ml — buvez le reste! Beurrez et sucrez un moule à cake et réservez-le au frais.

Préchauffez le four à 200 °C (th. 7), en chaleur tournante.
Dans un saladier, mélangez la farine, la levure, le sucre et le sel. Creusez un puits, puis ajoutez les œufs tout en fouettant. Incorporez ensuite le beurre, le jus et le miel, remuez bien, puis ajoutez les noix concassées. Versez la préparation dans le moule et enfournez-le sur une grille dans le bas du four. Laissez cuire 40 à 45 min. Démoulez le cake tant qu'il est encore chaud et laissez-le refroidir sur une grille.

Mes Conseils…

• J'aime bien remplacer la moitié de l'orange par un demi-citron et arroser ce cake d'un peu de jus d'orange sucré, préalablement chauffé. • À défaut de miel, utilisez 150 g de sucre.

Émile Péquignet, fondateur des montres du même nom, et sa femme Laurence.

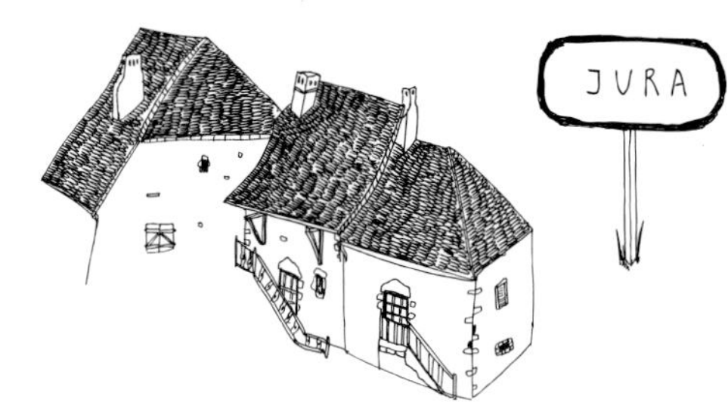

POUR 6 PERSONNES
PRÉPARATION 10 MIN
CUISSON 50 MIN

PAIN D'ÉPICES DE VERCEL
DE LILIANE

250 g de farine
+ 20 g pour le moule
125 g de sucre roux
1 c. à c. rase d'anis vert moulu
1 c. à c. rase de bicarbonate de soude
150 g de miel de sapin
150 g de lait entier
1 oeuf
20 g de beurre

Si le pain d'épices n'est pas vraiment jurassien, le petit village de Vercel en avait pourtant fait son dessert emblématique, au point d'organiser chaque année une fête du pain d'épices. La tradition s'est un peu perdue, la recette aussi, et rares sont les Jurassiens qui se souviennent de ce dessert d'enfance. C'est pourtant le cas de Liliane, dite Lili, qui tient une délicieuse chambre d'hôtes près de La Longeville, dans le Doubs, et qui mérite le titre de «reine des confitures».

Préchauffez le four à 160 °C (th. 5). Mélangez la farine, le sucre, l'anis et le bicarbonate. Faites tiédir le miel au bain-marie et incorporez-le au mélange en remuant à la spatule. Faites légèrement tiédir le lait, puis ajoutez-le ainsi que l'œuf. Remuez au fouet pour éviter les grumeaux.

Beurrez et farinez un moule à cake non adhésif et versez-y la préparation. Placez sur une grille au milieu du four. Laissez cuire 10 min, puis augmentez la température du four à 180 °C (th. 6) et laissez cuire encore 40 min. Démoulez tiède et coupez en tranches. Dans le Jura, on sert ce pain d'épices avec un thé.

Le banquet chez Lili.

Mes Conseils...

• Grâce à Lili, j'ai appris qu'il ne fallait pas chauffer le miel à la casserole ou au micro-ondes pour le faire fondre car il perd ses propriétés gustatives et diététiques s'il est surchauffé. Comme elle, optez pour le bain-marie !

LE PETIT TRUC EN PLUS DE LILI : elle utilise un mélange de cassonade et de vergeoise brune pour sucrer le cake.

MIEL

POUR 8 PERSONNES
PRÉPARATION 10 MIN
CUISSON 20 MIN

LA PÔCHOUSE
DE VALÉRIE

1 brochet de 1,5kg écaillé, vidé et coupé en tronçons
1 tanche de 1kg écaillée, vidée et coupée en tronçons
1 perche de 1kg écaillée, vidée et coupée en tronçons
1 anguille de 1 à 1,5kg pelée, vidée et coupée en tronçons
1 c. à s. de poivre blanc concassé
4 brins de thym
2 têtes d'ail
4 bouteilles de vin blanc sec, type bourgogne aligoté
50g de beurre
50g de farine
Gros sel

Un plat typique du Doubs, une région dont Jean-Luc m'a fait découvrir les lacs en m'emmenant pêcher le brochet. Cette recette est d'ailleurs originaire de son village, Verdun-sur-le-Doubs, qui la célèbre chaque année dans ses rues. Mais la pôchouse ne se contente pas d'un brochet. Elle réclame deux poissons maigres et deux poissons gras. Ne vous effrayez pas (comme je l'ai été) de la quantité astronomique d'ail dans cette matelote. L'ail ne fait qu'infuser dans le bouillon de cuisson et n'est absolument pas dominant. Comme toujours pour les sauces au vin, utilisez un vin de qualité. À mauvais vin, mauvaise sauce...

Versez une petite poignée de gros sel et le poivre dans le fond d'une large marmite. Ajoutez le thym et les têtes d'ail coupées en deux dans la largeur, non pelées. Déposez les darnes de poissons sans les superposer. Arrosez de vin blanc pour recouvrir le poisson. Portez à ébullition. Comptez 20 min de cuisson à partir d'une forte ébullition.

Pendant ce temps, préparez un roux : faites fondre le beurre et ajoutez la farine dans une casserole sans cesser de remuer avec une spatule, sans coloration. Réservez.

Quand le poisson est cuit, retirez la marmite du feu et prélevez environ 80 cl de bouillon en l'ajoutant louche par louche dans la casserole du roux et en fouettant entre chaque ajout, sur feu doux. La sauce doit être nappante sans être trop épaisse. Déposez une darne de chaque poisson dans chaque assiette. Nappez de sauce. Accompagnez de rondelles de baguette rassie, dorées à la poêle et frottées à l'ail.

Mes Conseils...

• Si vous ne trouvez pas tous les poissons, sachez que le plus important est d'équilibrer : 2 poissons maigres, 2 poissons gras.

POUR 8 PERSONNES
PRÉPARATION
CUISSON 45 MIN
REPOS 1 NUIT

LA PURÉE BRESSANE
DE JEAN

1kg de haricots rouges
200g de marrons précuits au naturel
200g de céleri rave
2 oignons
2 échalotes
1kg de pommes de terre
100g de beurre

Une bonne idée pour accompagner un gibier ou la dinde de Noël.

La veille, faites tremper les haricots pendant 1 nuit. Le jour même, épluchez le céleri rave et coupez-le en morceaux. Épluchez et coupez les oignons en quartiers. Épluchez les échalotes et coupez-les en deux. Épluchez les pommes de terre.

Faites cuire tous ces éléments à l'eau jusqu'à ce qu'ils soient bien tendres, pendant environ 45 min. Passez-les au moulin à légumes et ajoutez le beurre en remuant sur feu doux dans une casserole. Au besoin, rallongez la purée avec de la crème ou de l'eau de cuisson.

POUR 6 PERSONNES
PRÉPARATION 10 MIN
CUISSON 15 MIN
REPOS 1H

LE TARTOUILLAT
DE CHRISTIAN

3 choux pommés
4 pommes reinettes ou galas
500g de farine d'épeautre
65cl de lait entier
2 poignées de sucre
3 oeufs
Sel

Le tartouillat, une pâte à flan enrichie de fruits de saison, se cuisait autrefois dans des feuilles de chou. Bien creuses et rigides, les feuilles s'affaissent après quelques minutes de cuisson, laissant juste le temps à la pâte de se solidifier. À défaut de moules, les grands-mères les plus modestes avaient des idées ! Christian a tenu à me transmettre la recette de son papa, qui ne voulait pas entendre parler de moules « en dur ». Il faut dire que les feuilles donnent tout son caractère à ce dessert, sans lui communiquer leur goût, à condition que vous ne les laissiez pas une nuit au réfrigérateur !

Préchauffez le four à 230 °C (th. 8). Pelez et coupez les pommes en huit, puis chaque morceau en petits triangles. Dans un saladier, versez la farine et ajoutez progressivement le lait, le sucre, les œufs et une pincée de sel. Ajoutez alors les pommes. Laissez reposer 1 h au moins.

Détachez délicatement 6 feuilles de chou et lavez-les. Ne gardez que les plus creuses, sans déchirures. Placez-les côte à côte sur la plaque de cuisson et versez 1 louche de préparation dans chaque feuille. Enfournez et faites cuire 15 min. Servez tiède.

Mes Conseils...

Pour rester au plus proche de la cuisine de ses ancêtres, Christian n'utilise pas d'oeufs. Je me suis permis d'en ajouter pour donner un peu de moelleux à la pâte.

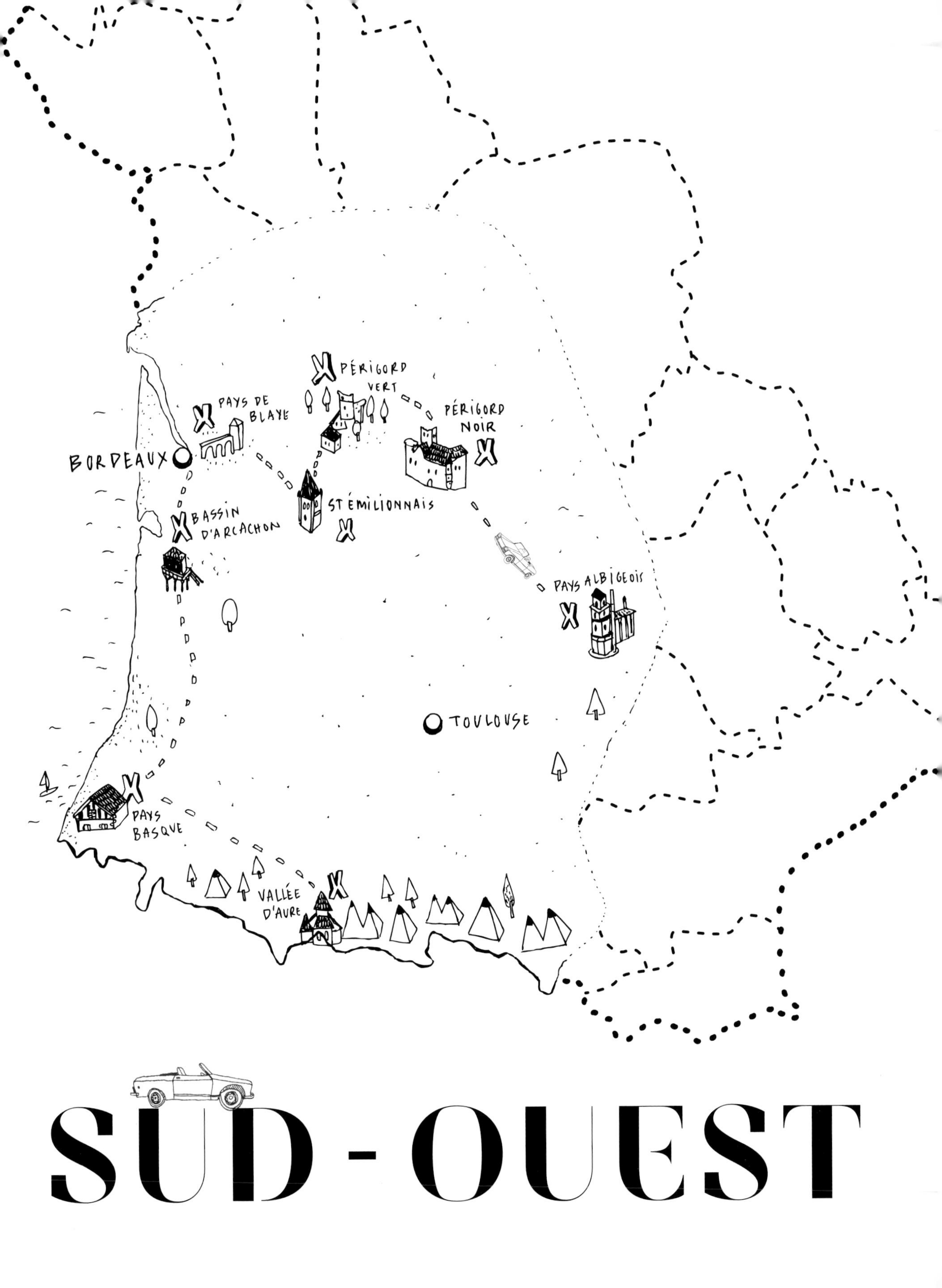
PÉRIGORD VERT
PAYS DE BLAYE
PÉRIGORD NOIR
BORDEAUX
BASSIN D'ARCACHON
ST ÉMILIONNAIS
PAYS ALBIGEOIS
TOULOUSE
PAYS BASQUE
VALLÉE D'AURE

SUD-OUEST

POUR 4 PERSONNES
PRÉPARATION 5 MIN
CUISSON 3 MIN
REPOS 10 MIN

LA SALADE DE PISSENLITS
AU FOIE SALÉ D'HUGUETTE

3 grosses poignées de pissenlits des champs
1 gousse d'ail
300 g de foie de porc salé et séché
2 c. à s. de graisse de canard
3 c. à s. de vinaigre de vin vieux
5 c. à s. d'huile d'olive
1 c. à s. de vinaigre jeune
1 c. à s. de crème de vinaigre balsamique
Poivre

En Midi-Pyrénées, la saucisse de Toulouse est un peu l'arbre qui cache la forêt, tant la région est riche de spécialités charcutières. Au moment de la tuade, tous les morceaux du cochon étaient mis en conservation, y compris le foie, salé et suspendu au grenier pendant quelques mois. Une tradition presque effacée, qui ne perdure que grâce aux anciens. Autre tradition : l'usage en cuisine des herbes aujourd'hui qualifiées de «mauvaises». Il va de soi que les pissenlits de Huguette étaient fraîchement cueillis dans son jardin, ou plutôt dans les vignes de son fils, Michel Issaly, cultivées sans intrants chimiques. Si vous aussi, vous parvenez à cultiver votre jardin au plus naturel, vous avez peut-être une délicieuse salade sous vos pieds... Un sommet de cuisine de terroir, à accompagner de l'un des merveilleux gaillac de Michel dont vous trouverez l'adresse à la fin du livre.

Coupez les pieds des pissenlits de façon à obtenir de petits bouquets. Lavez-les bien, essorez-les et coupez-les grossièrement. Placez-les dans un saladier. Pelez et émincez l'ail.

Déficelez le foie de porc salé, coupez-le en dés et faites-le sauter 2 à 3 min à feu vif avec la graisse de canard pour qu'il se colore. Arrosez de 1 c. à s. de vinaigre de vin vieux. Égouttez le foie et versez-le encore chaud sur la salade froide. Ajoutez l'ail, l'huile d'olive et les trois vinaigres.

Mes Conseils...

• Pensez à assaisonner la salade et à la remuer au moins 10 min avant de la servir pour la « fatiguer » légèrement. • Si vous ne pouvez pas vous procurer du foie salé, ni le confectionner vous-même, faites sauter au beurre des petits cubes de foie de porc frais.

POUR 8 PERSONNES
PRÉPARATION 10 MIN
CUISSON 45 MIN

LE FRÉSINAT DE MIMI

1,5kg d'échine de cochon
2kg de pommes de terre
100g de graisse de canard ou d'oie
5cl d'huile de tournesol
8 gousses d'ail
1 bouquet de persil
Sel
Poivre

Difficile de faire plus simple que le frésinat de Mimi – prononcez fessinate – : de petits dés de cochon mêlés à une persillade et des pommes de terre sautées. Pourtant, en le goûtant, je me suis demandée comment cela pouvait être aussi bon et fin. Le tour de main et la bonne humeur de Mimi, de délicieux produits mais surtout ce supplément d'âme qui appartient aux recettes qui racontent les traditions de nos anciens...

Épluchez les pommes de terre. Coupez-les en cubes de 1 cm de côté, rincez-les et séchez-les. Faites-les rissoler dans une casserole avec 100 g de graisse de canard pendant une quinzaine de minutes.

Pendant ce temps, détaillez le porc en petits morceaux rectangulaires. Dans une poêle, faites-les revenir à l'huile et laissez-les cuire à feu moyen et à couvert pendant 30 min environ. Hachez l'ail pelé et le persil.

À la fin de la cuisson du porc, augmentez la puissance du feu pour saisir une dernière fois la viande après avoir retiré le couvercle. Égouttez la viande et les pommes de terre, puis réunissez-les. Parsemez le tout de la persillade, remuez et servez aussitôt — l'ail doit rester cru.

LE PETIT TRUC EN PLUS DE MIMI : utilisez des pommes de terre mona lisa à chair ferme.

Mes Conseils...

• Égouttez le jus de cuisson de la viande pour que ce plat ne soit pas trop gras.

POUR 6 PERSONNES
PRÉPARATION 15 MIN
CUISSON 20 MIN

LA NAUETTE D'ALBI

DE SANDRINE

25g de beurre
3 oeufs
250g de sucre fin
1 pincée de sel
300g de farine
1 cinquantaine d'amandes brutes (non pelées)
Le zeste de 1 citron non traité

Une recette qui remonterait à l'époque des Cathares. La navette avait été leur signe de ralliement car nombre d'entre eux étaient tisserands. Jolie légende, infirmée par les historiens qui situent plutôt son apparition dans les traités de cuisine du XVIIIe siècle. Quoi qu'il en soit, ce dessert ne date pas d'hier ! Autrefois enrichie de morceaux de cédrats confits, la navette peut également accueillir des raisins secs ou de l'eau de fleur d'oranger.

Préchauffez le four à 210 °C (th. 7) avec ventilation. Faites fondre le beurre à feu doux, puis laissez-le tiédir. Cassez les œufs dans un saladier, ajoutez le sucre et le sel, et battez le tout. Incorporez la farine et le zeste et continuez de remuer avec une spatule. Arrêtez de mélanger dès que la pâte est homogène.

Incorporez le beurre après en avoir utilisé un peu pour beurrer le moule. Le moule traditionnel est en fer, en forme de losange de 22 cm de côté et de 3 cm de hauteur, mais un moule à manqué rond de même diamètre convient aussi. Sucrez le moule en faisant tomber l'excédent. Versez la pâte et étalez-la avec vos doigts mouillés — et propres ! Déposez les amandes régulièrement en les enfonçant légèrement dans la pâte. Saupoudrez de sucre. Enfournez et laissez cuire 20 à 25 min : la surface doit être dorée.

Laissez tiédir avant de servir. Découpez la navette en losanges et mangez-les tels quels, avec des fruits frais ou trempés dans du vin doux. Ce gâteau se conserve aisément une semaine.

Mon Conseil...

• Évitez de fouetter la pâte trop longtemps, ce qui donnerait un gâteau trop dur.

TARTE AUX NOIX
ET À LA CONFITURE DE GROSEILLE DE MIMI

POUR 8 PERSONNES
PRÉPARATION 10 MIN
CUISSON 30 MIN
REPOS 30 MIN

POUR 1 ABAISSE DE PÂTE BRISÉE
120 g de beurre
180 g de farine
18 g d'oeuf battu
30 ml d'eau
1 bonne pincée de sel

POUR LA GARNITURE
100 g de noix
1,5 c. à s. de confiture de fruits rouges ou de gelée de groseille
4 oeufs
200 g de sucre
Sel

Mimi ne pouvait concevoir de nous recevoir à sa table sans un dessert au menu. Elle nous fit goûter sa fameuse tarte aux noix, dont il faut bien reconnaître qu'elle est aussi succulente que facile à préparer.

Dans le bol du mixeur, placez le beurre à température ambiante, la farine, l'œuf battu, l'eau froide et le sel. Mixez rapidement. Séparez en trois morceaux. Formez 1 boule, filmez et réservez au frais 30 min avant d'étaler entre deux feuilles de papier cuisson, puis de foncer votre moule.

Préchauffez le four à 210 °C (th. 7), en chaleur sole uniquement et avec ventilation. Étalez la confiture de fruits rouges ou la gelée de groseille sur la surface de la pâte. Hachez les noix grossièrement. Séparez le blanc des jaunes. Fouettez les jaunes avec le sucre, puis montez les blancs en neige. Mélangez le tout et versez sur le fond de tarte. Enfournez et faites cuire 30 min.

Mangez cette tarte complètement refroidie, sinon le biscuit risque d'être un peu élastique.

LE PETIT TRUC EN PLUS DE MIMI : elle recommande de remplacer les noix par des amandes et d'ajouter du jus et du zeste d'orange à la crème, sans utiliser la confiture. Vous pouvez également utiliser de la confiture de figue.

PÉRIGORD NOIR

Les pigeonniers

Les pigeonniers sont partout en Périgord, leur histoire était intimement liée à celle de la région. Du Moyen Âge à la Révolution française, seuls les seigneurs détenaient un « droit de pigeonnier ». Ce privilège était appliqué partout en France, sauf en Aquitaine. C'est pour cette raison qu'aujourd'hui encore, lorsqu'on se promène en Périgord, on ne peut passer à côté de ses charmantes tourelles. Autrefois, le pigeonnier permettait de protéger les pigeons qui étaient très prisés pour leur chair, mais surtout pour leur fiente – que l'on appelle plus joliment la colombine – un engrais naturel très riche. Il paraît même qu'elle était transmise en héritage, au même titre que les maisons et les meubles !

Mes Conseils...

• En principe, on utilise 15 g de sel pour un foie de 1 kg, mais je préfère n'en utiliser que 12 g par kg, soit environ 9 g pour un foie de 750 g. • La cuisson n'est pas standard, il faut la surveiller. Si le foie fond vite, il va cuire rapidement, sinon, il peut nécessiter un peu plus de cuisson. Piquez-le avec une aiguille à brider : si vous ressentez une légère résistance et que le jus qui s'écoule est rosé, c'est que ce n'est pas assez cuit. Vous pouvez aussi mettre l'aiguille sur votre langue : si elle est seulement tiède, le foie n'est pas encore cuit.

POUR 10 PERSONNES
PRÉPARATION 15 MIN
CUISSON 45 MIN
REPOS 3 J

FOIE GRAS D'OIE

DE ROGER CROUZEL

1 beau foie gras d'oie cru de 700 à 800g environ
9g de sel
2 c. à s. de porto blanc
Poivre moulu
Saindoux ou graisse d'oie (éventuellement)

J'ai appris grâce à mon voyage pour Les Carnets que l'oie était élevée depuis bien plus longtemps que le canard en Périgord. Celui-ci lui a volé la vedette dans le courant du XXe siècle, les éleveurs s'étant aperçus qu'il était plus résistant, plus facile et plus rapide à gaver que l'oie. Néanmoins, quelques agriculteurs attachés à la tradition comme Denis et Nathalie Mazet, éleveurs d'oies, ou Roger Crouzel qui m'a confié son tour de main, nous permettent de continuer à préparer le vrai foie gras périgourdin.

Laissez le foie revenir à température ambiante 1 h au moins.

Préchauffez le four à 150 °C (th. 5) et remplissez d'eau la plaque de votre four pour le bain-marie. Détachez les 2 lobes du foie l'un de l'autre. Avec un petit couteau bien affûté, dégagez la grosse veine dans la partie ronde de chaque lobe, suivez sa trajectoire à l'aide de votre doigt ou du couteau pour la dégager des chairs, puis tirez dessus délicatement. Retirez aussi les traces de fiel (jaune ou vert) et les rougeurs éventuelles sur la peau du foie.

Étalez les 2 lobes sur votre plan de travail, côté lisse contre le plan. Salez en répartissant bien le sel fin sur toute la surface du foie, puis poivrez. Placez le gros lobe dans une terrine de taille et de forme adaptée, côté lisse vers le fond, puis recouvrez du petit foie, côté lisse vers vous. Arrosez de porto, couvrez de film alimentaire ou d'aluminium directement au contact de la surface du foie. Enfournez la terrine, baissez le four à 100 °C (th. 4) et laissez cuire 45 min à 1 h.

Sortez du four et laissez reposer jusqu'à ce que le foie soit froid, puis pressez-le légèrement. Recouvrez le foie de la graisse rendue à la cuisson ou de saindoux pour éviter qu'il ne s'oxyde. Laissez reposer 3 jours au frais avant de servir.

Mes Conseils...

• Pour obtenir des confits bien dorés et une peau croustillante, la graisse doit être bien chaude au début. En revanche, la cuisson doit se faire à une température très douce et à petit frémissement pour que la viande ne se dessèche pas.

POUR 8 PERSONNES
PRÉPARATION 45 MIN
CUISSON 2 H
REPOS 24 H

LE CONFIT D'OIE
DE ROGER CROUZEL

- 1 belle oie de 4 à 6 kg vidée, ou de 6 à 8 kg si vous souhaitez conserver le foie
- 1 kg de graisse d'oie ou de canard
- Gros sel
- Poivre mouliné

Le confit, c'est un peu comme la charcuterie: on se dit que c'est une affaire compliquée, réservée aux professionnels... jusqu'à ce qu'on s'y frotte. Roger m'a prouvé qu'il suffisait d'un bon produit, de quelques conseils et de beaucoup de patience! Si vous ne le consommez pas tout de suite, je vous recommande de faire fondre la graisse au bain-marie, dans le pot ou à la poêle, puis de passer le confit au four, peau vers le haut pour qu'elle soit bien croustillante.

La veille, découpez l'oie, en commençant par couper la tête à ras de la carcasse. Entaillez la peau en suivant le bréchet puis suivez la carcasse avec le couteau pour détacher la chair. Veillez à en laisser le moins possible sur la carcasse. Quand vous arrivez à la hauteur des cuisses, appuyez dessus avec le plat de la main pour casser l'os. Vous devez obtenir un « manteau » de peau intégrant les cuisses et les ailes avec les magrets. Coupez la peau – en laissant 1 ou 2 cm de gras autour de la chair – de façon à détacher 4 morceaux : 2 cuisses et 2 ailes avec les magrets. Coupez le bout de l'os des cuisses.

Dans un plat, déposez les 4 morceaux d'oie côté peau vers le bas, après y avoir jeté une poignée de gros sel. Saupoudrez le côté chair de 3 ou 4 poignées de gros sel. Poivrez au moulin. Laissez reposer ainsi 24 h au frais. Conservez la graisse restante au réfrigérateur.

Le jour même, coupez la graisse réservée en dés et faites-la fondre dans une cocotte en fonte. Ajoutez la graisse d'oie ou de canard supplémentaire de façon à ce que les morceaux soient bien immergés. Chauffez-la au bord du frémissement. Nettoyez les morceaux d'oie à l'aide d'un torchon pour retirer le maximum de sel, plongez-les dans la graisse et laissez-les cuire environ 2 h à frémissement. Attention, la graisse ne doit surtout pas bouillir pendant la cuisson. Égouttez, coupez les cuisses en deux à la jointure et le magret en tranches épaisses. Servez avec des pommes de terre sarladaises (voir p. 205).

POUR 15 PERSONNES
PRÉPARATION 20 MIN
CUISSON 1H45 À 2 H

LA MIQUE DE MONIQUE

POUR LE BOUILLON
1 belle carcasse d'oie ou 1 petit salé
4 carottes
1 gros oignon piqué de clous de girofle
2 poireaux

POUR LA MIQUE
3 belles tranches de pain de campagne rassis, soit environ 160 g
150 g de lard gras coupé en petits dés
7 gros oeufs
1 kg de farine
4 sachets de levure chimique
Sel

La mique est l'un des plus anciens plats périgourdins, sorte de pain au lard échaudé dans un bon bouillon de poule. Elle s'enrichit parfois de farine de maïs, très présent dans les champs de Dordogne – l'ancien comté du Périgord correspond à peu de choses près à la Dordogne actuelle – et peut se cuisiner sucrée. Dans ce cas, préparez de petites boulettes, réduisez la quantité de lard, passez-les dans l'œuf battu et faites-les frire avant de les arroser de miel ou de confiture de groseille.

Préparez le bouillon en commençant par laver et peler les légumes. Plongez-les avec la carcasse d'oie dans un grand faitout rempli d'eau, salez et portez à ébullition. Laissez cuire 1 h au moins.

Pendant ce temps, préparez la mique. Faites fondre le lard à la poêle 10 min à feu moyen et coupez le pain en dés. Dans une grande jatte, mélangez le pain, les œufs, le lard et un peu de farine, ajoutez 30 cl de bouillon et continuez à intégrer la farine mélangée à la levure. Salez. Cessez d'ajouter de la farine quand la pâte ne vous colle plus aux doigts. Elle doit quand même rester souple.

Divisez cette mique en 2 boules ou en plusieurs petites, selon le nombre de convives, et plongez-les dans le bouillon. Laissez cuire 45 min environ pour 2 miques ou 15 min pour des petites. Égouttez, découpez en tranches les grosses miques et servez en accompagnement d'un confit.

Mes Conseils...

• Vous pouvez servir ce plat avec des légumes. Accompagnez même d'un bol de ce bon bouillon. • Vous pouvez préparer un bouillon minute en faisant fondre 4 cubes dans 4 l d'eau. • Remplacez le lard par de la graisse d'oie ou de canard. • Pour vérifier la cuisson, égouttez la mique et coupez-la en son centre. Si la pâte est collante, prolongez la cuisson.

POUR 4 PERSONNES
PRÉPARATION 5 MIN
CUISSON 25 MIN

LES POMMES DE TERRE
SARLADAISES DE ROGER

1 kg de pommes de terre à chair ferme
4 à 5 c. à s. de graisse d'oie ou de canard
1/2 gousse d'ail
Persil
Sel

Un grand classique périgourdin qui tient en quatre produits : pommes de terre, graisse, ail et persil. Il m'a fallu rencontrer Roger pour comprendre le secret de cette irrésistible recette : une double cuisson (comme les frites), la première à feu doux pour les enrober de matière grasse et une deuxième sur feu plus vif mais à couvert pour les faire dorer tout en les cuisant à cœur. J'allais oublier l'essentiel : la persillade s'ajoute en toute fin de cuisson car elle ne doit pas cuire !

Coupez les pommes de terre en tranches fines (5 mm) à la mandoline. Salez-les et faites-les cuire avec la graisse environ 10 min sur feu moyen, sans les faire dorer. Réservez-les (si vous souhaitez préparer ce plat à l'avance) ou augmentez le feu, couvrez et poursuivez la cuisson 15 min. Elles doivent dorer et attacher.

En fin de cuisson, ajoutez l'ail et le persil hachés, puis servez.

LE PETIT TRUC EN PLUS DE ROGER : il conseille de couvrir les pommes de terre pour qu'elles attachent, ce qui les rend à la fois moelleuses à cœur et croustillantes à l'extérieur.

Mes Conseils...

- Utilisez la graisse de cuisson d'un confit ou faites fondre la graisse de magrets de canard.

POUR 6 PERSONNES
PRÉPARATION 20 MIN
CUISSON 25 MIN
REPOS 15 MIN

LE GÂTEAU AUX NOIX
DE MONIQUE

POUR LE GÂTEAU
- 150 g de noix
- 150 g de sucre
- 100 g de beurre
- 3 gros oeufs
- 2 grosses c. à s. de farine
- 8 cerneaux entiers
- 1 pincée de sel

POUR LE NAPPAGE
- 115 g de chocolat à 55 %
- 25 g de beurre

Un dessert qui n'a pas un siècle mais qui a très vite été adopté par les Périgourdins. Pour un résultat à la hauteur, faites attention à bien utiliser des noix entières et non de la poudre de noix, trop finement hachée. Un conseil : conservez vos cerneaux au frais pour éviter qu'ils ne rancissent.

Allumez le four à 200 °C (th. 7) sans ventilation. Passez les noix à la moulinette, ajoutez la moitié du sucre et le sel, puis mélangez. Faites fondre le beurre. Hors du feu, ajoutez le reste du sucre et mélangez bien. Incorporez au mélange précédent. Ajoutez les œufs un par un, puis la farine. Beurrez un moule à manqué de 25 cm de diamètre environ. Versez-y la préparation. Enfournez sur une grille et laissez cuire 20 min.

Une fois le gâteau sorti du four, faites fondre à feu doux le beurre et le chocolat pour le nappage. Étalez sur le dessus du gâteau, laissez figer 15 min, puis tracez des stries avec les dents d'une fourchette. Déposez 8 cerneaux de noix sur le pourtour du gâteau. Placez au réfrigérateur et servez froid. Ce gâteau se conserve 1 semaine au frais.

LE PETIT TRUC EN PLUS DE MONIQUE : elle n'emploie jamais de mixeur pour les noix car cela a tendance à les réduire en purée et le gâteau est alors moins léger.

Mes Conseils...

• Je vous conseille d'enfourner les noix dans le four froid pour les torréfier le temps du préchauffage. Frottez-les entre vos mains pour retirer leur peau avant de les mouliner. • Vous pouvez aussi ajouter 50 g de noix brisées en deux dans ce gâteau.

POUR 4 À 6 PERSONNES
PRÉPARATION 10 MIN
CUISSON 20 MIN

LA CAJASSE
DE MONIQUE

POUR LA CAJASSE
4 grosses c. à s. de farine, soit environ 100g
3 oeufs
25cl de lait entier ou 1/2 écrémé
1 bonne c. à s. d'huile de tournesol
50g de beurre
1 pincée de sel

POUR SERVIR
Sucre en poudre fin ou confiture

C'est là l'un des plus anciens desserts du Périgord! La cajasse, qui est à mi-chemin entre le far breton et l'omelette soufflée, se couvre de sucre ou de confiture. Une gourmandise facile et bon marché qui peut même trouver sa place au petit-déjeuner ou sur la table d'un brunch. J'en suis dingue!

Préchauffez le four à 200 °C (th. 7) en chaleur statique.
Versez la farine dans un saladier, creusez-y un puits et versez-y les œufs. Fouettez énergiquement. Ajoutez le lait, 1 bonne pincée de sel, l'huile et fouettez à nouveau pour bien mélanger.

Versez le tout dans un grand moule à manqué beurré. Répartissez des noisettes de beurre sur le dessus, en évitant de les déposer sur les bords pour ne pas empêcher la pâte de lever. Enfournez sur une plaque placée dans le haut du four et laissez cuire 20 à 25 min. Surveillez la cuisson et retirez la cajasse quand elle est bien gonflée et légèrement dorée.

Mangez chaud mais pas brûlant, en parts saupoudrées de sucre fin ou accompagnées de confiture.

Mes Conseils...

• Bien que ce ne soit pas fidèle à la recette originele, vous pouvez remplacer l'huile de tournesol par de l'huile de noix, qui est l'huile du pays en Périgord.

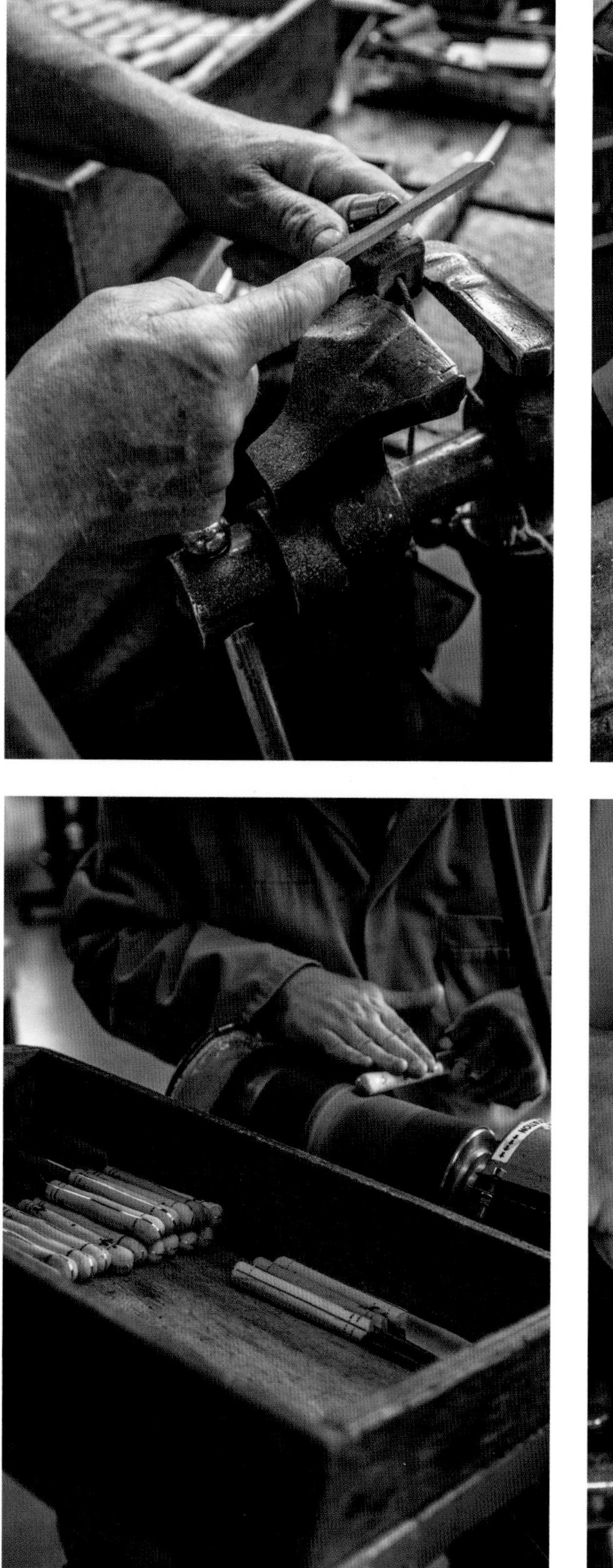

PÉRIGORD VERT

Les couteaux de Nontron

Une fois n'est pas coutume, je délaisse la cuisine quelques heures pour découvrir une autre spécialité du Périgord vert, la coutellerie, et celle, particulièrement célèbre, de Nontron. J'y ai été accueillie par Bernard Faye, coutelier de son état et véritable « homme de fer » comme on les appelle ici. Il m'a appris à réaliser un couteau à la manière de Nontron. Après le choix du bois, le manche est réalisé et assemblé à la main aux quatre autres pièces de l'objet, puis gravé et poli. Malgré la simplicité apparente du processus, la fabrication de ce couteau unique en son genre et mondialement connu nécessite un savoir-faire qui n'est pas donné à tout le monde, et surtout pas à moi... La preuve : j'ai gravé le logo à l'envers. Au moins, mon couteau sera assurément une pièce unique !

POUR 8 PERSONNES
PRÉPARATION 40 MIN
CUISSON 1H20

POULE DE LUXE

ET FARCI PÉRIGOURDIN DE BÉATRICE

POUR LA POULE
- 1 belle poule charnue mais pas grasse de 2kg environ
- 1 belle truffe de 60g environ
- 1 chou vert frisé
- 8 navets
- 8 carottes
- 8 pommes de terre moyennes
- 2 rutabagas
- 2 panais
- 2 branches de céleri
- 1 gros poireau
- 1 oignon piqué de clous de girofle
- 1 c. à c. de 4 épices

POUR LA FARCE
- 400g de pain rassis sans croûte
- 400g de lard salé
- 3 oeufs
- 1 petit bouquet de persil
- 6 gousses d'ail
- Gros sel
- Poivre

Poule de luxe, c'est ainsi que j'ai dénommée cette poule farcie truffée, accompagnée de ces légumes «du pot». Une nouvelle version de la poule au pot, après la poule au blanc de Normandie. Une merveilleux plat du dimanche, autour duquel réunir la famille. Si vous habitez en ville comme moi, n'oubliez pas de commander votre poule chez le boucher, les citadins n'étant pas très familiers des poules, quoi que dans certains quartiers...

Hachez le persil et épluchez puis hachez l'ail. Mettez dans un saladier le pain et le lard coupés en petits dés. Ajoutez les œufs, le persil, l'ail, salez et poivrez. Malaxez pour bien mélanger. Pelez les carottes, les navets, les rutabagas, les panais et l'oignon. Lavez les légumes ainsi que le céleri. Fendez le poireau en deux, lavez-le et ficelez-le avec le céleri. Piquez l'oignon de clous de girofle. Taillez la truffe en lamelles. Entaillez la peau de la poule à plusieurs endroits et glissez les lamelles entre la peau et la chair. Plongez la poule dans une grande marmite d'eau salée frémissante. Ajoutez les légumes, une petite poignée de gros sel, du poivre et les épices. Couvrez et laissez cuire à frémissement pendant 30 min. Faites bouillir une casserole d'eau. Détachez les feuilles du chou une par une. Gardez le cœur tel quel et glissez-le dans la marmite avec les légumes. Coupez la partie la plus épaisse des tiges pour les désépaissir. Plongez les feuilles dans la casserole d'eau. Laissez cuire 5 min après reprise de l'ébullition. Égouttez-les et passez-les sous l'eau froide. Étalez-les bien à plat sur un torchon comme si vous vouliez reformer le chou, les feuilles les plus vertes en premier, puis les plus claires. Façonnez une boule avec la farce et déposez-la au centre. Refermez les feuilles sur la farce et terminez par une belle feuille sur le dessus. Ficelez le chou en laissant un morceau de ficelle pendre pour le déplacer. Plongez le chou dans la marmite et laissez cuire encore 45 min. Faites cuire à part les pommes de terre à l'eau bouillante salée. Égouttez le tout. Béatrice sert d'abord le bouillon dans lequel elle ajoute quelques tranches de pain très finement coupées, puis le chou coupé en parts, la poule et les légumes. Elle accompagne le tout d'aïoli mais c'est aussi très bon avec de la moutarde ou même nature !

Mes Conseils…

• Truffez la poularde la veille de la cuisson pour que les chairs soient bien parfumées. Prévoyez une grande marmite ! • Vous pouvez préparer ce plat à l'avance : dans ce cas, conservez la poule et le chou dans le bouillon et égouttez les légumes. • Pour éviter de troubler le bouillon à cause de leur amidon, faites cuire les pommes de terre à part en prélevant un peu de bouillon de poule. • Vous pouvez aussi hacher le lard, le pain et le persil au robot.

POUR 12 PERSONNES
PRÉPARATION 30 MIN
CUISSON 2H30
REPOS 1 NUIT

LE CIVET DE DINDON
DE GHISLAINE

- 1 dindon (ou dinde) de 6 kg vidé, coupé en une vingtaine de morceaux, abattis à part
- Un petit bol de sang de volaille (demandez-le à votre boucher)
- 1,5 kg de carottes
- 6 échalotes
- 3 gousses d'ail
- 5 oignons
- 6 clous de girofle
- 1 bouquet de persil
- 3 l de vin rouge de Bergerac
- 4 ou 5 feuilles de laurier
- 2 petites branches de thym
- 1 c. à s. de poivre en grains
- 1 kg de lard fumé
- 4 c. à s. d'huile d'olive
- 4 c. à s. de farine

Le Périgord vert se situe à la frontière du Limousin. Un pays plus rude que ses cousins noirs ou pourpre, mais tout aussi riche de merveilles gastronomiques : couteaux de Nontron, châtaigneraies et la fameuse fête du dindon qui se déroule chaque année, le 11 novembre à Varaignes et ce depuis l'époque de Henri IV, selon la légende... J'en profite pour adresser une pensée à Denis et à sa sœur, éleveurs de dindons chez qui j'ai fait une halte pour Les Carnets. Avant de nous quitter, ils m'ont offert un cadeau choisi et délicat : une phrase de René Char qu'ils m'avaient entendue citer, manuscrite sur un trèfle à quatre feuilles cueilli dans leur jardin. Depuis, il trône dans ma cuisine. C'est mon œil porte-bonheur à moi...

La veille, placez les morceaux de dindon et le gésier dans une grande marmite. Réservez le foie au frais. Épluchez et coupez 3 carottes en rondelles, pelez 2 échalotes, pelez et hachez l'ail, pelez 1 oignon et piquez-le avec les clous de girofle. Hachez la moitié du persil. Versez le vin dans la marmite, ajoutez les carottes, les échalotes entières, l'ail, l'oignon, le laurier, le thym, la moitié du persil en branches et le reste haché. Ajoutez le poivre et laissez mariner ainsi 1 nuit.

Le jour même, pelez et hachez en petits dés le reste des oignons et des échalotes. Coupez le lard en petits dés. Répartissez l'huile d'olive dans deux grandes poêles. Versez le mélange d'oignons dans l'une, et le lard fumé dans l'autre. Faites fondre sur feu assez vif. Réservez.
Dans les mêmes poêles, faites dorer les morceaux de dindon égouttés, sans matière grasse. Saupoudrez-les de farine en cours de cuisson. Réservez-les dans la marinade, ajoutez les oignons et le lard poêlés. Remuez et placez la marmite sur le feu. Laissez mijoter 2 h 30 à feu doux. Pelez les carottes restantes, rincez-les, coupez-les en gros tronçons et disposez-les dans la marmite 1 h avant la fin de la cuisson.
Mixez finement le foie, incorporez-le au sang de volaille, puis diluez le tout avec une bonne louche de vin de cuisson. Réservez dans la marmite, remuez, goûtez et rectifiez l'assaisonnement. Servez tel quel ou retirez les plus gros os de la carcasse. Accompagnez de tagliatelles, de pommes de terre ou de riz, en plus des carottes.

Mes Conseils...

• Demandez à votre boucher de vous hacher le lard à la grosse grille. • Pour éviter que le sang ne coagule, versez-y un bon trait de vinaigre ou de vin. • Si vous ne trouvez pas de sang de volaille, utilisez du sang de porc ou pas de sang du tout. • Vous pouvez laisser mariner la viande moins longtemps.

POUR 12 PERSONNES
PRÉPARATION 20 MIN
CUISSON 10 À 30 MIN
REPOS 30 MIN

LE NONTRONNAIS
BÛCHE AUX CHÂTAIGNES DE BRIGITTE ET ANDRÉE

POUR LA BÛCHE
800 g de marrons en bocal, en conserve ou surgelés
3 morceaux de sucre
250 g de beurre à température ambiante
200 g de sucre
1 sachet de sucre vanillé
2 c. à s. de rhum

POUR LE GLAÇAGE
150 g de chocolat à 55 %
50 g de beurre

La bûche de Noël est généralement préparée avec de la purée de marrons sucrée à la vanille, plus pratique que les châtaignes que nos ancêtres devaient faire brûler à la cheminée. Emblème du Périgord vert, la châtaigne fraîche apporte pourtant une texture onctueuse et une saveur de sous-bois inimitable. Avec le «nontronnais» d'Andrée, le dessert de Noël prend des airs d'éternité...

Si les marrons sont surgelés, faites-les cuire 30 min à la vapeur. S'ils sont en bocal, ils sont cuits par la stérilisation, donc 10 min de réchauffage à la vapeur suffisent. Dans les deux cas, ajoutez 3 morceaux de sucre sur les marrons avant de refermer le cuit-vapeur. C'est une habitude d'Andrée et de sa maman qu'elles n'expliquent pas vraiment.

Moulinez les marrons finement au moulin à légumes pendant qu'ils sont encore chauds, puis ajoutez progressivement le beurre coupé en morceaux, le sucre et le sucre vanillé. Remuez pour faire fondre le tout, puis incorporez le rhum. Placez ce mélange au frais pendant 30 min pour qu'il se durcisse légèrement. Répartissez le mélange sur une assiette rectangulaire afin de façonner une bûche à la main. Placez cette bûche au frais.

Cassez le chocolat et faites-le fondre doucement au bain-marie. Ajoutez le beurre en morceaux au chocolat fondu pour qu'il fonde également à son contact. Mélangez. Répartissez le glaçage au pinceau sur la bûche en laissant les entames vierges. Tracez des nervures en faisant courir les dents d'une fourchette sur le glaçage.

LE PETIT TRUC EN PLUS DE ANDRÉE : **inclinez la bûche pour ne pas faire tomber de glaçage sur l'assiette quand vous la glacez sur les côtés.**

Mes Conseils... • Utilisez un rhum de très bonne qualité.

SAINT ÉMILIONNAIS

POUR 8 PERSONNES
PRÉPARATION 1H
CUISSON 3H30
REPOS 1 NUIT À 1 AN

LA LAMPROIE
À LA BORDELAISE DE COLETTE ET JOËLLE

2 lamproies vivantes
3l de vin rouge
+ 1/2 bouteille
5kg de poireaux
8 gousses d'ail
100g de lard gras
1/2 verre d'huile
de tournesol
Sel
Poivre

Une recette pour le moins historique. D'abord parce qu'elle m'a valu parmi les meilleurs fous rires de ma vie de cuisinière : imaginez, près de 20 lamproies – une sorte de serpent de rivière préhistorique – qui glissent entre mes pieds sur un bateau de 4 mètres de long! Cette recette est restée gravée également parce que j'ai pu la réaliser avec mes amis et voisins Colette, Guy, Pierre et Joëlle. Un joyeux moment de transmission et de partage. Ne vous avisez pas de vouloir manger votre lamproie le soir même. Il faut attendre le lendemain, voire 1 an si vous la mettez en bocal!

Placez les lamproies dans une bassine et couvrez-les d'eau chaude, à environ 60 °C. Suspendez-les alors avec un crochet et retirez la pellicule de limon qui les entoure en les frottant avec une matière rêche. Frottez bien de haut en bas jusqu'à ce que la peau marbrée soit bien claire et propre. Entaillez alors les lamproies profondément à 10 cm du bout de la queue. Placez un saladier en-dessous dans lequel vous aurez versé la demi-bouteille de vin et laissez le sang s'égoutter 15 min. Lavez et pelez les poireaux, puis coupez-les en tronçons de 7 cm environ. Faites-les revenir avec l'huile dans un grand faitout. Salez, poivrez et laissez cuire 1 h en remuant de temps en temps. Décrochez les lamproies et coupez-leur la tête. Entaillez-les alors sur toute la longueur par le ventre. Retirez le foie, coupez le boyau attenant et jetez-le, jetez aussi les œufs. Rincez bien les lamproies et coupez-les en tronçons de même longueur que les poireaux. Salez et poivrez pour les faire dégorger un peu. Versez les 3 l de vin dans une casserole et portez à frémissement 10 min avant que les poireaux ne soient cuits. Quand il est bien chaud, flambez le vin. Lorsque la flamme s'éteint, c'est qu'il ne reste plus d'alcool. Vous pouvez alors verser le vin sur les poireaux. Laissez cuire sans couvrir à feu assez vif pendant 1 h. Ajoutez les lamproies en les immergeant presque totalement. Au besoin, rajoutez du vin. Laissez cuire 45 min. Hachez rapidement le foie, l'ail pelé et le lard coupé en dés. Incorporez ce hachis à la sauce puis laissez cuire 30 min. Incorporez le vin et le sang des lamproies et laissez frémir sans bouillir pendant 10 min.

Mes Conseils...

• Pour le vin, choisissez du bordeaux jeune et tannique et accompagnez ce plat de pain grillé frotté à l'ail. • Ce plat ne se mange jamais le jour même. Il doit être réchauffé le lendemain à feu très doux ou mis en conserve et mangé l'année suivante.

SAINT ÉMILIONNAIS

POUR 6 À 8 PERSONNES
PRÉPARATION 25 MIN
CUISSON 45 MIN À 1H30
REPOS 15 MIN

CANARD FARCI AUX OLIVES À LA BROCHE
DE MICHÈLE

2 canards colverts vidés, non bridés, abattis à part
50g de mie de pain rassise
10cl de lait
1 oeuf
300g de chair à saucisse
4 brins de persil
1 belle gousse d'ail
1/2 bocal d'olives vertes dénoyautées, soit environ 100g d'olives égouttées
1 c. à s. de cognac
1/2 c. à c. rase de fleur de sel
1 petit suisse
Poivre

Une façon originale de cuisiner le canard. Cette recette peut également s'adapter aux sarcelles – petits canards sauvages – ou aux faisans. À défaut de cheminée et de broche, la cocotte convient aussi très bien. Merci à Michèle et Guy Richard qui ont accueilli le plus grand banquet réalisé à ce jour dans l'émission : 20 personnes, pas moins, réunies dans la cuisine, au coin de la cheminée. Le seul fait d'en parler et j'ai déjà envie d'y être à nouveau...

Arrosez la mie d'un peu de lait. Mélangez l'œuf et la chair à saucisse, et placez-les dans un saladier. Hachez finement le persil avec l'ail. Hachez au couteau les olives et les foies des canards, puis ajoutez le tout dans le saladier avec le cognac et la mie de pain. Ajoutez ½ c. à c. rase de fleur de sel, poivrez et malaxez bien.

Farcissez les canards et fermez l'orifice avec de la ficelle, en tournant autour du croupion puis en entourant les canards. Arrosez-les d'un peu d'huile, malaxez, salez-les et poivrez-les. Faites cuire 1 h 30 à la broche ou 45 min au four à 200 °C (th. 7) dans une cocotte sans couvercle. Retournez-les et arrosez-les de temps en temps. Découpez-les en deux puis en quatre.

Pour réaliser la sauce, récupérez le jus de la lèchefrite et ajoutez un petit suisse. Chauffez sans faire bouillir. Accompagnez de légumes cuits à l'eau et sautés à l'huile d'olive.

La croix templière cerclée qui se cache dans la spectaculaire église souterraine de Saint-Émilien.

Mes Conseils...

• Au four, couvrez les canards d'une feuille de papier cuisson pour éviter qu'ils ne se dessèchent. Si possible, laissez-les reposer 15 min dans la cocotte fermée après cuisson pour détendre les chairs avant de découper les morceaux. • Vous pouvez remplacer les canards par des faisans.

LE PETIT TRUC EN PLUS DE NADIA : elle conseille de ne pas utiliser des macarons cuits le jour même mais plutôt la veille, pour qu'ils soient un peu secs.

Mes Conseils...

• Utilisez un sucre fin qui fondra plus vite dans le beurre et un bon cognac, car son goût est essentiel. • Pour un gâteau plus noir, ajoutez 20 g de chocolat à 70 %. • Difficile de réussir les macarons aussi bien que Nadia, qui d'ailleurs garde sa recette secrète, mais vous pouvez les commander. Livraison en 48 h !

SAINT ÉMILIONNAIS

POUR 8 PERSONNES
PRÉPARATION 15 MIN
REPOS 12 À 24 H

LE SAINT-ÉMILION
D'EMMA ET NADIA

POUR LE GÂTEAU
45 macarons de Saint-Émilion
3 cl de cognac
300 g de beurre
à température ambiante
250 g de sucre
130 g de chocolat à 50%
20 cl de lait demi-écrémé
2 jaunes d'oeufs

POUR LE GLAÇAGE
130 g de chocolat à 50%
50 g de beurre

L'origine des macarons de Saint-Émilion remonte au XVIIe siècle. C'est la communauté religieuse des ursulines qui aurait mis au point cette recette délicate. Nadia Fermigier, qui tient une pâtisserie au cœur de Saint-Émilion, est aujourd'hui la seule dépositaire de la formule authentique. Que des produits frais : amandes douces et amères, blancs d'œufs – de vrais œufs, pas en bidon, c'est rare ! – et du sucre. Pas de colorant, ni de conservateur. Et croyez-moi, on craque au premier regard. Emma Galhand, fille de vignerons et voisine de Nadia, m'a transmis cette recette de famille qui est immédiatement devenue un de mes classiques.

La veille, placez une feuille de papier cuisson sur une assiette plane. Déposez un cercle à pâtisserie de 20 cm de diamètre et de 5 cm de hauteur au moins. Versez le cognac dans un bol et ajoutez une quantité équivalente d'eau. Imbibez légèrement les macarons de ce mélange et placez-les dans le cercle, en tapissant le fond et les côtés, côté plat face à vous. Serrez-les sans les écraser ni les couper. Réservez.

Écrasez à la fourchette le beurre avec le sucre, puis fouettez 1 min avec un fouet électrique jusqu'à ce que le mélange mousse légèrement. Pendant ce temps, faites fondre le chocolat au bain-marie et versez-le dans un grand saladier, faites tiédir le lait. Dans un autre récipient, mettez les 2 jaunes d'œufs, puis versez le lait, tout en fouettant. Incorporez au chocolat, puis versez le tout sur le mélange beurre-sucre. Fouettez au fouet électrique quelques instants. Versez un tiers de la crème ainsi obtenue dans le moule, couvrez d'une couche de macarons imbibés, toujours côté plat vers vous. Versez un autre tiers de crème, une autre couche de macarons, puis recommencez une dernière fois en terminant par les macarons. Couvrez de film alimentaire, puis posez par-dessus une assiette plane et un poids de 500 g. Mettez au frais 1 nuit au moins, 24 h dans l'idéal. Le jour même, préparez le glaçage 1 h 30 minimum avant de servir. Pour cela, faites fondre le chocolat au bain-marie, ajoutez le beurre et remuez. Démoulez le gâteau en le retournant et en retirant le cercle. Couvrez de glaçage et mettez au frais jusqu'au service. Sortez le gâteau 10 min avant de le découper.

Madame Blanchez, ancienne propriétaire de la pâtisserie, vient régulièrement prêter main forte à Nadia pour préparer les fameux macarons.

POUR 6 À 8 PERSONNES
PRÉPARATION 15 MIN
CUISSON 2H30

LE MANGE QU'ON A

AGNEAU MIJOTÉ AUX LÉGUMES DU JARDIN DE FRANCE

2kg d'agneau en morceaux (côtelettes, selle, tranches de gigot, souris, etc.)
3 oignons moyens, ou 2 s'ils sont secs
400g de carottes fanes
5 gousses d'ail frais en chemise ou 3 gousses séchées
1 queue d'agneau
1,2kg de chair de tomate pelées et concassées, de tomates conservées au naturel ou de coulis de tomate
1 branche d'origan frais ou 1 c. à c. d'origan sec
1 bouquet garni
1 c. à s. d'huile d'olive
4 ou 5 artichauts violets
500g de pommes de terre rosevals pas trop jeunes
400g de fèves écossées mais pas dérobées
Romarin
Poivre

Le «mange qu'on a» résume bien la cuisine traditionnelle, dans laquelle nécessité fait loi. À l'époque, on ne se souciait pas de créer des recettes nouvelles car on n'avait pas d'autres choix que d'assembler les aliments de même saison et de même région. Bref, on mangeait ce que la terre voulait bien nous donner. Thierry et France mêlent les légumes de leur immense potager aux agneaux de leur élevage. Une étape fait la différence : le passage des morceaux de viande dans la cheminée. À défaut, saisissez-les à feu vif dans une poêle en fer ou en fonte; pas d'antiadhésif par pitié !

Pelez et émincez finement les oignons. Grattez les carottes et coupez les fanes. Émincez-les, mais pas trop finement. Pelez l'ail et écrasez-le. Dans une cocotte, versez l'huile d'olive, ajoutez la queue d'agneau, les oignons et les carottes et faites rissoler 10 min. Si, comme France, vous faites cuire ce plat dans la cheminée, utilisez une cocotte allant au feu. Dans la marmite, ajoutez alors les tomates mixées ou le coulis, l'ail, l'origan, le bouquet, 1 c. à c. de sel fin, poivrez et laissez mijoter à feu assez vif sans couvrir. Comptez 30 min de cuisson.

Pelez et tournez les artichauts pour ne garder que la partie la plus tendre. Faites dorer les morceaux d'agneau sur le gril ou dans une poêle légèrement huilée sur feu vif, saupoudrez de romarin et de sel en fin de cuisson. Ajoutez l'agneau et les artichauts dans la cocotte en les enfonçant bien dans la sauce. Laissez mijoter encore 1 h.

Lavez et coupez les pommes de terre en gros morceaux égaux. Plongez-les dans la marmite et laissez cuire encore 30 min environ. Faites blanchir les fèves 5 min dans une casserole d'eau bouillante salée et égouttez-les. Ajoutez les fèves avec leur peau dans la cocotte et laissez cuire encore 20 min. Servez avec une cuillère pour recueillir la sauce !

Mes Conseils...

• La queue d'agneau est destinée à donner du goût à votre garniture aromatique, vous pouvez la remplacer par une souris. • Par définition, le mange qu'on a s'adapte à toutes les saisons et à " ce qu'on a ". Vous pouvez donc remplacer les fèves par des petits pois ou des haricots, ajouter du céleri branche, ou du fenouil. • Ce plat est meilleur réchauffé le lendemain. • Personnellement, je prolonge la cuisson de l'agneau de 30 min avant d'y ajouter les pommes de terre, pour obtenir une viande bien fondante.

POUR 6 PERSONNES
PRÉPARATION 15 MIN
CUISSON 2H30

SAUCE DE COUENNE
DE FLORENCE

- 2 belles bandes de couenne de porc pré salée d'environ 300g chacune
- 1 bouquet garni
- 5 poireaux
- 4 grosses pommes de terre
- 1 grosse c. à s. de graisse de canard
- 1 grosse c. à s. de farine
- 8 oeufs
- 1 bonne c. à s. de vinaigre de vin rouge

Le cochon était autrefois l'un des rares animaux dont l'élevage pouvait être familial. Tué en hiver, il assurait l'apport de viande pour l'année. Comme le dit l'adage, «tout est bon dans le cochon», même la couenne. Roulée et conservée au sel, elle était ensuite cuisinée dans des ragoûts à base de légumes comme celui de la famille de Florence. Les anciens adorent, les plus jeunes peuvent être déroutés par ce goût un peu animal et cette texture légèrement élastique. Pour vous faire un avis, cuisinez-la!

Rincez la couenne et coupez-la en morceaux de 8 à 10cm de large environ. Mettez-la dans une cocotte, couvrez largement d'eau sans saler, portez à ébullition et écumez. Ajoutez le bouquet garni. Laissez mijoter 1h30 à couvert.

Pendant ce temps, coupez les poireaux en tronçons de 5cm environ. Épluchez et coupez les pommes de terre en morceaux. Lavez les légumes. Faites-les dorer à la poêle avec la graisse de canard jusqu'à ce qu'ils soient bien colorés. Farinez et laissez caraméliser sur feu assez vif. Versez les poireaux et les pommes de terre dans la cocotte. Déglacez la poêle à l'eau et versez ce jus dans la cocotte. Laissez mijoter encore 45 min. Coupez le feu.

Cassez un œuf dans une tasse. Faites une petite place dans la cocotte pour le loger et faites-le glisser pour les pocher. Continuez ainsi pour 5 autres œufs — comptez 1 œuf par convive.
Séparez les jaunes des blancs pour les 2 derniers œufs. Versez les blancs dans la cocotte. Couvrez et laissez cuire 10 min à petit bouillon. Ajoutez le vinaigre aux 2 jaunes et mélangez. Quand les œufs sont cuits, coupez le feu. Versez une louche de jus de cuisson sur les jaunes vinaigrés et mélangez. Reversez dans la cocotte et servez.

Accompagnez ce plat de pain de campagne grillé et frotté à l'ail.

POUR 6 PERSONNES
PRÉPARATION 5 MIN
CUISSON 10 MIN

L'ASTRADE D'ANGUILLES
DE JEAN-PIERRE XIRADAKIS

1kg de tronçons d'anguilles vidées et pelées
600g de lard salé
Sel
Poivre

Jean-Pierre dirige l'un des meilleurs restaurants du monde à mes yeux, La Tupina à Bordeaux. Rien que du traditionnel : côte de bœuf à la cheminée, poulet ou lapin à la broche, frites à la graisse d'oie, gibiers au plus simple, champignons sans compter. Bref, une vraie tranche de générosité, comme ces brochettes d'anguilles au lard, cuites à la braise, en pique-nique au bord de la Gironde. Vous pouvez les cuire au four mais il vous manquera l'essentiel... le goût sauvage!

En extérieur, allumez un feu jusqu'à l'obtention de bonnes braises.

Constituez les brochettes en alternant sur des pics les tronçons d'anguilles et des morceaux épais de lard. Faites-les cuire sur une grille 10 min environ en les retournant à mi-cuisson. Elles doivent être bien grillées.

LE PETIT TRUC EN PLUS DE JEAN-PIERRE : il recommande d'utiliser du lard de porc noir de Bigorre des Pyrénées.

Le restaurant de Jean-Pierre, un de mes préférés !

POUR 6 PERSONNES
PRÉPARATION 10 MIN
CUISSON 20 MIN

LA BISQUE
DE CRABES MOUS DE MONIQUE

1kg de petits crabes mous
2 oignons moyens
2 gousses d'ail
2 tomates
4 c. à s. d'huile d'olive
1 petit verre de cognac
ou d'armagnac
1l d'eau
10cl de crème liquide
Piment d'Espelette
Sel

Monique est une joyeuse tornade. À croire que les 70 ans de cette ancienne coiffeuse sont enfouis sous le sable comme les crabes qu'elle pêche sur l'île aux oiseaux. Elle part avec son mari Christian et son ami Bernard pêcher les crabes à l'épuisette pour réaliser une recette qui lui a été enseignée par les anciens de Andernos-les-Bains où elle habite depuis toujours. Une recette de famille que l'on ne peut déguster, selon Monique «que chez les vrais de vrais»!

Rincez les crabes à l'eau claire. Coupez-les en deux avec de bons ciseaux ou un sécateur et placez-les dans une cocotte ou une sauteuse. Pelez les oignons et l'ail, émincez grossièrement les oignons et écrasez l'ail. Coupez les tomates en quartiers. Ajoutez le tout dans la cocotte ainsi que l'huile d'olive et un peu de sel. Couvrez, allumez un feu vif et laissez mijoter 10 min.

Chauffez l'armagnac et ajoutez-le dans la cocotte avant de faire flamber le tout. Arrosez alors d'1 l d'eau chaude. L'eau doit couvrir les crabes presqu'à hauteur. Couvrez et comptez encore 10 bonnes minutes de mijotage. Passez alors la préparation au moulin à légumes pour obtenir la bisque. Réchauffez avant de servir en ajoutant la crème liquide et le piment d'Espelette, selon votre goût.

Avec Joël Dupuch, mon pote ostréiculteur, sans qui le bassin manquerait de sel !

Les bécasses à la ficelle.

Mes Conseils...

• Si elles sont fraîches, conservez les bécasses 2 ou 3 jours au réfrigérateur pour accentuer leur saveur. Pour réserver les bécasses découpées au chaud, couvrez le plat d'aluminium et posez-le au coin de la cheminée. • Ne tartinez d'abats les tranches de pain grillées qu'au dernier moment pour qu'elles restent bien croustillantes. • Les chasseurs du bassin apprécient de servir la tête pour manger la cervelle. Très peu pour moi mais peut-être en serez-vous friands. • Si vous préférez la bécasse rosée, écourtez la cuisson de 5 à 10 min. Tout dépend de la puissance du feu.

POUR 4 PERSONNES
PRÉPARATION 20 MIN
CUISSON 45 MIN

BÉCASSES À LA FICELLE

DE JOËL LATOUR

2 bécasses plumées non vidées
1 c. à s. de graisse de canard
Sel
Poivre

POUR LES RÔTIS ET LE FOND DE SAUCE
1 carotte
1 échalote
1 petit oignon
1 branche de céleri
1 vert de poireau
1 c. à s. de graisse de canard
2 gousses d'ail
4 brins de persil
4 grosses tranches de pain
50g de foie gras de canard
15cl de fond de veau
20cl de crème fraîche liquide
10cl d'armagnac

Une recette ancestrale, l'une des plus ancienne du bassin, à réserver aux âmes peu sensibles et aux palais fins!

Préparez un feu au-dessus duquel vous placerez une tige en fer ou une broche. Quand vous obtenez de belles braises, suspendez les bécasses devant le feu, après avoir entouré leur cou de ficelle. Faites-les tourner sur elles-mêmes en enroulant la ficelle. Enroulez-les de nouveau à chaque fois qu'elles cessent de tourner pour qu'elles rôtissent uniformément. Laissez cuire 30 min environ. Faute de cheminée, on peut aussi faire cette recette au-dessus d'un barbecue. Arrosez de temps en temps d'un peu de graisse de canard. Une fois cuites, décrochez les bécasses. Pelez et émincez grossièrement la carotte, l'échalote et l'oignon, émincez le céleri et le poireau et rincez-les. Faites revenir les légumes dans un peu de graisse de canard jusqu'à ce qu'ils soient bien dorés. Pelez et hachez l'ail, hachez le persil et mélangez-les. Disposez les tranches de pain dans la cheminée ou sur le barbecue pour les faire griller. Levez les filets et les cuisses des bécasses, réservez-les au chaud et récupérez les entrailles. Retirez les estomacs et jetez-les. Mélangez les abats au foie gras et hachez le tout au couteau. Ajoutez la persillade à ce mélange.

Ajoutez les carcasses concassées dans la poêle des légumes. Laissez cuire quelques minutes et ajoutez le fond de veau. Laissez frémir et incorporez la crème fraîche liquide. Salez et poivrez, et laissez réduire. Passez ensuite au chinois pour filtrer la sauce. Dans la casserole qui a servi à la préparation, faites cuire le mélange des abats le temps qu'ils colorent avec un peu de graisse de canard. Étalez cette préparation sur les tranches de pain, placez une tranche par assiette. Au dernier moment, versez l'armagnac dans une casserole et flambez-le sur le feu, versez sur les bécasses puis disposez-les sur les toasts. Nappez ensuite de sauce. Servez avec une poêlée de cèpes en persillade.

POUR 6 PERSONNES
PRÉPARATION 10 MIN
CUISSON 50 MIN

LES SEICHES AUX POIVRONS
DE PHILIPPE AUDOY

1kg de seiches
3 poivrons rouges
4 gousses d'ail
6 c. à s. d'huile d'olive
Piment d'Espelette
Sel

Philippe a fait de la peinture son métier, de la cuisine sa passion, et de sa maison une galerie. Elle est exiguë (à peine 3 m de large) mais pourtant cet ancien hangar à bateau familial, posé sur la plage des Jacquets, ne manque pas d'attirer les gourmands et les curieux. La seiche lui est livrée par Didier, son copain pêcheur, qui sait, comme tout le monde sur le bassin, que Philippe la cuisine mieux que quiconque. Encore une preuve que le meilleur est toujours le plus simple.

Nettoyez les seiches, coupez les corps et les tentacules en grosses lanières. Jetez le long tentacule fibreux et la tête. Déposez les morceaux de seiches dans une poêle moyenne, ajoutez 2 c. à s. d'huile d'olive et faites cuire à feu doux 15 min en couvrant de temps en temps.

Pelez les poivrons à l'aide d'un économe à tomate, épépinez-les et coupez-les en morceaux. Pelez l'ail et coupez-le en grosses lamelles. Dans une autre poêle, faites chauffer 2 c. à s. d'huile d'olive. Ajoutez-y les poivrons et l'ail.

Videz le jus des seiches puis remettez-les dans la poêle avec 2 c. à s. d'huile d'olive, salez et laissez cuire 30 min à feu doux en couvrant et en remuant régulièrement.

À la fin de la cuisson, versez les poivrons dans la poêle des seiches, mélangez, ajoutez une pointe de couteau de piment d'Espelette, rectifiez l'assaisonnement et remettez à mijoter 5 min. Servez chaud, tiède ou froid.

Mes Conseils...

• Cette recette se sert froide en entrée ou chaude avec des pâtes.
Il est inutile de peler la seiche car la peau donne du goût et de la couleur.

POUR 8 PERSONNES
PRÉPARATION 10 MIN
CUISSON 1H10 À 2H40

COUSINETTE

OU SOUPE D'HERBES À LA MAUVE DE PIERRE

1 crosse ou 1 talon de jambon d'environ 300g
150g d'épinards
1 poireau ou 150g de blanc émincé
150g de vert de blettes, soit environ 1/2 botte
150g de laitue
150g de céleri branche sans les feuilles
250g de pommes de terre à purée
1 gousse d'ail
50g d'oseille équeutée
1 poignée de bourrache
1 poignée de mauve
Piment d'Espelette
Sel

Placez la crosse de jambon dans une grande casserole, couvrez avec 2 l d'eau et laissez frémir à couvert le plus longtemps possible, de 30 min à 2 h.

Pendant ce temps, hachez au couteau les épinards, les poireaux, les blettes, la laitue, le céleri et lavez-les soigneusement. Essorez. Lavez et pelez les pommes de terre. Coupez-les en dés. Quand le jambon est cuit, ajoutez tous les légumes, ainsi que l'ail pelé et écrasé, salez et portez à frémissement. Laissez cuire 30 min.

Lavez, essorez et hachez l'oseille au couteau. Ajoutez-la dans la soupe avec la bourrache et la mauve et prolongez la cuisson de 10 min. Retirez le jambon et servez-le à part pour les plus gourmands.

Accompagnez ce plat de piment d'Espelette, évidemment !

Mes Conseils...

• Chez Pierre Oteiza, où j'ai cuisiné cette soupe, nous n'avons pas eu le temps de précuire le jambon mais plus il cuit dans l'eau avant qu'on y ajoute les légumes, plus le bouillon est parfumé. • Pour une soupe encore plus légère, préparez le bouillon de jambon la veille, mettez-le au frais une nuit et récupérez le gras figé avant de réchauffer le bouillon et d'y plonger les légumes. • Cette soupe est également délicieuse mixée.

POUR 8 PERSONNES
PRÉPARATION 15 MIN
CUISSON 2H50

LA GARBURE DE PIERRE

- 1 crosse ou 1 talon de 400g environ de jambon cru type jambon de Bayonne ou jambon de pays
- 2 oignons
- 2 gousses d'ail
- 1 c. à s. de graisse de canard
- 250g de haricots secs type tarbais ou de lingots du Nord, ou 400g de haricots frais
- 1 ou 2 piments d'Espelette séchés ou 1 c. à c. de piment d'Espelette en poudre
- 2 poireaux
- 500g de pommes de terre à chair tendre
- 300g de navets
- 1/2 chou vert ou 1 chou pointu dit chou de printemps
- 50g de gras de jambon

Faites tremper les haricots secs tarbais la veille (les lingots n'en ont pas besoin). Pelez et hachez grossièrement les oignons et l'ail. Dans un gros faitout, laissez fondre le tout dans la graisse de canard pendant 10 min.

Si les haricots sont secs, plongez-les dans une grande casserole d'eau froide non salée, portez à ébullition. Lorsque l'eau bout, comptez 10 min supplémentaires. Égouttez.

Ajoutez les haricots dans le faitout, la crosse de jambon cru et recouvrez d'environ 3 l d'eau. Pimentez et laissez mijoter 1 h.
Lavez les poireaux, émincez-les, puis ajoutez-les dans le faitout. Couvrez et laissez cuire à feu doux pendant 30 min. Pelez et coupez les pommes de terre et les navets en gros dés. Plongez-les dans la garbure et laissez cuire encore 30 min. Émincez le chou grossièrement et lavez-le. Ajoutez-le dans la soupe et comptez 30 min à nouveau.

LE PETIT TRUC EN PLUS DE PIERRE : en fin de cuisson, hachez très finement 50g de gras de jambon et de l'ail. Ajoutez-le dans la soupe, laissez mijoter 5 min et servez. Accompagnez de piment d'Espelette.

Mes Conseils...

• Personnellement, je ne rajoute pas de gras ni d'ail à la fin de la cuisson. Ça parfume mais ça alourdit un peu la soupe. La digestion des Basques n'est pas celle des Parisiennes ! • Si vous n'aimez pas les navets, remplacez-les par des carottes. Pour rendre le chou plus digeste, ébouillantez 5 min les feuilles émincées avant de les ajouter à la soupe. • Selon moi, le jambon suffit à saler la soupe mais c'est à vous de juger. Le nôtre avait été affiné deux ans et demi !

PIMENT
62g

POUR 4 PERSONNES
PRÉPARATION 15 MIN
CUISSON 2H10

LES CRABES
À LA CAPBRETONNAISE DE VINCENT

- 4 beaux tourteaux vivants
- 20 échalotes
- 4 têtes d'ail
- 50 cl d'huile d'olive
- 4 à 5 bouteilles de vin blanc d'Irouléguy
- 2 c. à s. de gros sel
- 4 poignées de pommes de terre à chair ferme
- 250 g de concentré de tomate
- 1 louche de noilly prat
- 2 c. à c. de piment d'Espelette

On me demande souvent quelle région ou quel plat je retiendrai entre tous après avoir sillonné la France pour Les Carnets. Je réponds toujours que je n'ai pas de préférence, que j'apprecie toutes les découvertes avec un plaisir égal. Il n'empêche que « le crabe de Vincent » reste sans doute mon chouchou ! D'abord, parce que c'était la toute première recette de la toute première émission, mais surtout parce que ce plat est fou. De la cuisine sauvage comme je l'aime ! En résumé : il faut couper à la hache les crabes vivants, les cuire avec leurs tripes et ajouter rien de moins que 20 échalotes et 1 bouteille de vin par personne ! À l'arrivée, je n'ai jamais rien mangé de plus explosif. La saveur du crabe croulant sous la sauce est décuplée, relevée par l'avalanche de condiments. Une sauce que je vous recommande de conserver pour manger le lendemain avec des pâtes. Prévenez vos amis, ce plat ne se mange qu'avec les doigts et pas un vêtement n'en sortira indemne !

Pelez l'ail et l'échalote. Ciselez l'échalote et écrasez les gousses d'ail. Faites fondre le tout dans une grande sauteuse avec l'huile d'olive. Retirez le « triangle » situé sous le ventre des tourteaux. Coupez-les en deux en les tranchant par le centre côté ventre avec un couteau de boucher. Retirez l'intérieur des carapaces. Jetez les branchies — sorte de barbe faite de plusieurs languettes grisâtres — et l'estomac situé sous les yeux et videz tout le reste dans un grand plat. Fendez les pattes en les brisant d'un coup sec de couteau retourné ou de marteau. Vous devez les fendre sans les briser en éclats.

Écrasez légèrement les petites pattes avec le plat de la lame. Jetez-le tout dans le plat. Placez le contenu du plat dans la sauteuse. Remuez bien. Versez 3 l de vin, salez, portez à ébullition et laissez mijoter 1 h au moins. Ajoutez alors les pommes de terre pour qu'elles soient à peu près immergées. Rajoutez un peu de vin. Laissez cuire encore 1 h. Incorporez le concentré de tomates, un peu de vin si la sauce est trop sèche, puis versez le noilly prat dans une louche et flambez-le avant de l'ajouter à la préparation. Remuez, incorporez le piment d'Espelette et remettez à chauffer 5 à 10 min avant de servir.

Pierre me montre le joyau qu'il cache dans sa ferme d'alpage pour les bons copains: un fromage de 1987 ! J'y ai goûté : piquant, mais délicieux...

Le village de Saint-Lary-Soulan.

VALLÉE D'AURE

Pierre, la mémoire de la montagne

Ma rencontre avec Pierre est une de celles que je ne suis pas près d'oublier. Une figure de la montagne ! Fils de berger, guide de haute montagne et berger lui-même, il est la mémoire de cette vallée. À l'évocation de ces hommes qui vivaient en solitaire la moitié de leur vie pendant la période des estives, sans eau courante ni électricité, avec pour seul réconfort, les chants traditionnels, on ne peut s'empêcher d'avoir le cœur plein d'émotion et de respect. Un monde et des modes de vie qui connaissent leurs derniers instants aujourd'hui, les animaux pâturant désormais seuls l'été dans les montagnes, quand ils ne sont pas sédentarisés. La soupe de sarrous était préparée autrefois par les bergers et seuls les derniers de la vallée en connaissent le secret. Assimilées à des épinards, ces herbes poussent à l'endroit où couchent les moutons, leur fumier agissant probablement comme un fertilisant. Les sarrous doivent être ramassés au printemps, avant que les moutons ne montent dans les estives. Leur saveur s'apparente aux pousses d'épinards, sans l'astringence naturelle de ce légume. Espérons que la mémoire de la vie pastorale sera maintenue par des recettes comme celle-ci.

Le papa berger de Pierre.

POUR 12 PERSONNES
PRÉPARATION 15 MIN
CUISSON 2 H
REPOS 1 NUIT

LA SOUPE DE SARROUS

DE PIERRE ET MICHÈLE

- 2 gros morceaux de jarret de porc
- 2 morceaux de plat de côtes en petit salé
- 1 talon de jambon noir de Bigorre
- 200 g de lard gras bien affiné
- 500 g de sarrous (épinards sauvages des montagnes, voir p. 243) ou jeunes épinards
- 6 grosses pommes de terre
- 5 gousses d'ail
- 1/2 bouquet de persil
- 2 poignées de haricots tarbais
- Pain de campagne rassis

La veille, laissez tremper les haricots dans l'eau pendant 1 nuit.

Le jour même, hachez le lard, l'ail pelé et le persil très finement avec un grand couteau. Rincez le petit salé pour retirer l'excèdent de sel. Pelez les pommes de terre, rincez-les et coupez-en deux en tout petits dés. Coupez le reste en morceaux de 3 ou 4 cm de côté. Remplissez une grande marmite avec 6 l d'eau, filtrée si possible. Ajoutez le talon de jambon, les tranches de jarret, les pommes de terre et le hachis de lard. Placez sur le feu et portez à ébullition.

Rincez et hachez grossièrement les sarrous. Une fois à ébullition, ajoutez les haricots égouttés et rincés, les sarrous et le petit salé. Couvrez, ramenez à ébullition et laissez cuire 2 h.

Coupez le pain en dés et placez-les dans la soupière.

Versez la soupe sur le pain, remuez et servez. Après la soupe, proposez la viande égouttée accompagnée de moutarde ou d'une sauce ravigote.

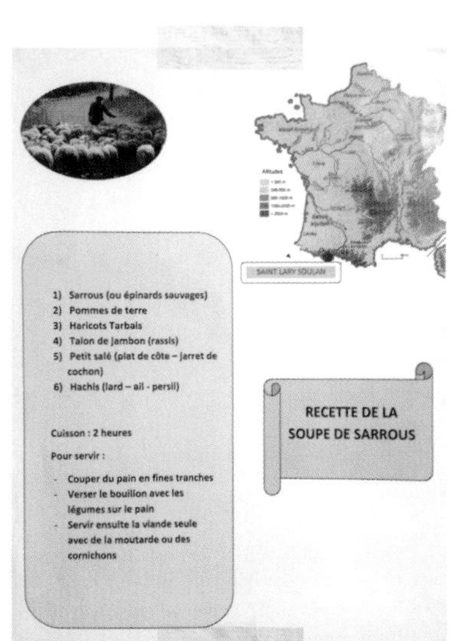

SAINT LARY SOULAN

1) Sarrous (ou épinards sauvages)
2) Pommes de terre
3) Haricots Tarbais
4) Talon de jambon (rassis)
5) Petit salé (plat de côte – jarret de cochon)
6) Hachis (lard – ail - persil)

Cuisson : 2 heures

Pour servir :

- Couper du pain en fines tranches
- Verser le bouillon avec les légumes sur le pain
- Servir ensuite la viande seule avec de la moutarde ou des cornichons

RECETTE DE LA SOUPE DE SARROUS

Mes Conseils...

• Pour la sauce ravigote, hachez des œufs durs et ajoutez du persil, de l'ail, de l'huile d'olive et du vinaigre. • Pour une bonne soupe, il faut un bon lard et un talon de jambon noir de Bigorre si possible. Commandez-le chez Denis éleveur dans la région des Baronnies. C'est mon fournisseur exclusif!

Mes Conseils...

- Remplacez l'eau par du bouillon de légumes et préparez ce plat la veille. Il est encore meilleur réchauffé !

POUR 12 PERSONNES
PRÉPARATION 15 MIN
CUISSON 3H15

LA MOUNJETADO
DE MARIE-THÉRESE

1,2kg de collier de mouton
1kg de haricots tarbais secs
2 grosses c. à s. de saindoux
8 carottes
4 gros oignons
1 gros talon de jambon sec de 1kg environ
Quelques couennes natures et salées
1 petite tête d'ail
500g de citrouille ou potiron
1 bouquet garni
1 poignée de gros sel
Poivre

Ne dites pas aux Auriens que ce plat est une version pyrénéenne du cassoulet, ils crieraient au sacrilège et auraient raison. Difficile de nier pourtant qu'il en est une variante, fidèle aux classiques du genre : haricots secs, couennes et viande fraîche mais aussi – cela varie selon les régions – oignons, carottes, ail, jambon... Pas de confit ici, ni de saucisse comme à Toulouse mais de la citrouille, fantaisie bienheureuse de Marie-Thérèse. Preuve de son cousinage, la mounjetado – prononcez « mounietade » – tient certainement son nom des mougettes, le nom occitan des doliques, ces ancêtres du haricot qui ont permis de cuisiner le cassoulet pendant plusieurs siècles, avant l'introduction au XVIe siècle des haricots en France. Quand je vous dis que l'Histoire résonne toujours dans les marmites...

La veille, faites tremper les haricots dans l'eau.
Le jour même, versez la graisse de porc dans une grande cocotte et faites-la chauffer. Faites dorer légèrement les morceaux de collier.

Pendant ce temps, pelez les carottes et les oignons. Hachez grossièrement les oignons et coupez les carottes en grosses rondelles. Ajoutez-les dans la cocotte et remuez bien. Laissez rissoler 15 min à feu vif.

Coupez le jambon en 6 ou 8 morceaux. Coupez aussi les couennes, pelez l'ail et retirez-en le germe. Ajoutez le tout dans la cocotte avec un verre d'eau pour éviter que cela n'attache, salez, poivrez et laissez mijoter à couvert pendant 30 min.

Pelez la citrouille et coupez-la en gros dés. Égouttez les haricots et versez le tout dans la cocotte avec le bouquet garni. Couvrez d'eau à hauteur, portez à ébullition à nouveau et laissez cuire 2h30 ou jusqu'à ce que les haricots et les viandes soient fondants.

Mes Conseils...

• Francinette utilise un beurre demi-sel pour rehausser la saveur de ce gâteau. • Si le gâteau dore trop vite d'un côté, faites-le cuire quelques instants de l'autre sans le faire tourner.

POUR 20 PERSONNES
PRÉPARATION 2H30
CUISSON 2H

GÂTEAU À LA BROCHE
DE FRANCINETTE

30 oeufs
1kg de farine
1kg de beurre
1kg de sucre
10 sachets de sucre vanillé
40cl de rhum ambré
Huile de tournesol

Ah, le gâteau à la broche de Francinette... Avant d'être la découverte de l'un des desserts traditionnels les plus spectaculaires, c'est avant tout une rencontre. Francinette semble avoir compté à l'envers ses 80 printemps à en juger sa joie de vivre et son endurance à tourner la broche devant le feu pendant des heures. Son gâteau à la broche n'est pas à la portée de toutes les cuisinières : il vous faudra une cheminée, une broche, un moule conique spécifique que vous entourerez de papier kraft et pas moins de 30 œufs! On retrouve également ce gâteau hérisson dans l'Aveyron et l'Aubrac, il est de toutes les fêtes, baptêmes et communions.

Emballez le moule à gâteau à la broche d'une couche de papier kraft sur la broche. Ficelez-le aller-retour comme un rôti. Faites fondre le beurre sur feu doux et laissez-le tiédir. Cassez les œufs et séparez les blancs des jaunes dans deux récipients. Remuez les jaunes avec une grande spatule. Sans jamais cesser de remuer, ajoutez la farine et le sucre par cuillérée, en alternant bien les deux ingrédients. De temps à autre, intégrez un peu de beurre, de sucre vanillé et de rhum. Montez les blancs en neige et incorporez-les au mélange.

Placez le moule recouvert de papier kraft sur la broche devant un feu vif et des braises bien chaudes. Huilez le papier à l'huile de tournesol, et faites-le tourner à la broche sans arrêt pendant 8 à 10 min, le temps qu'il chauffe. Déposez une lèchefrite sous la broche. Versez une louche de pâte en la faisant aller et venir le long du moule en le tournant rapidement. Ajoutez encore 2 louches. Récupérez la pâte dans la lèchefrite et reversez-le sur la broche au fur et à mesure. Toutes les 3 louches, laissez le gâteau cuire sans ajouter de pâte pendant 5 min environ. Essayez de verser la pâte dans les "trous" apparents sur la broche. La cuisson dure environ 2 h. Laissez refroidir loin du feu, puis démoulez et retirez le papier à l'intérieur du gâteau. Déposez le gâteau à la verticale sur une assiette. Découpez le gâteau en rondelles horizontales. Servez tel quel ou accompagné de coulis de framboise, comme Francinette.

LOUIS - JEANNE

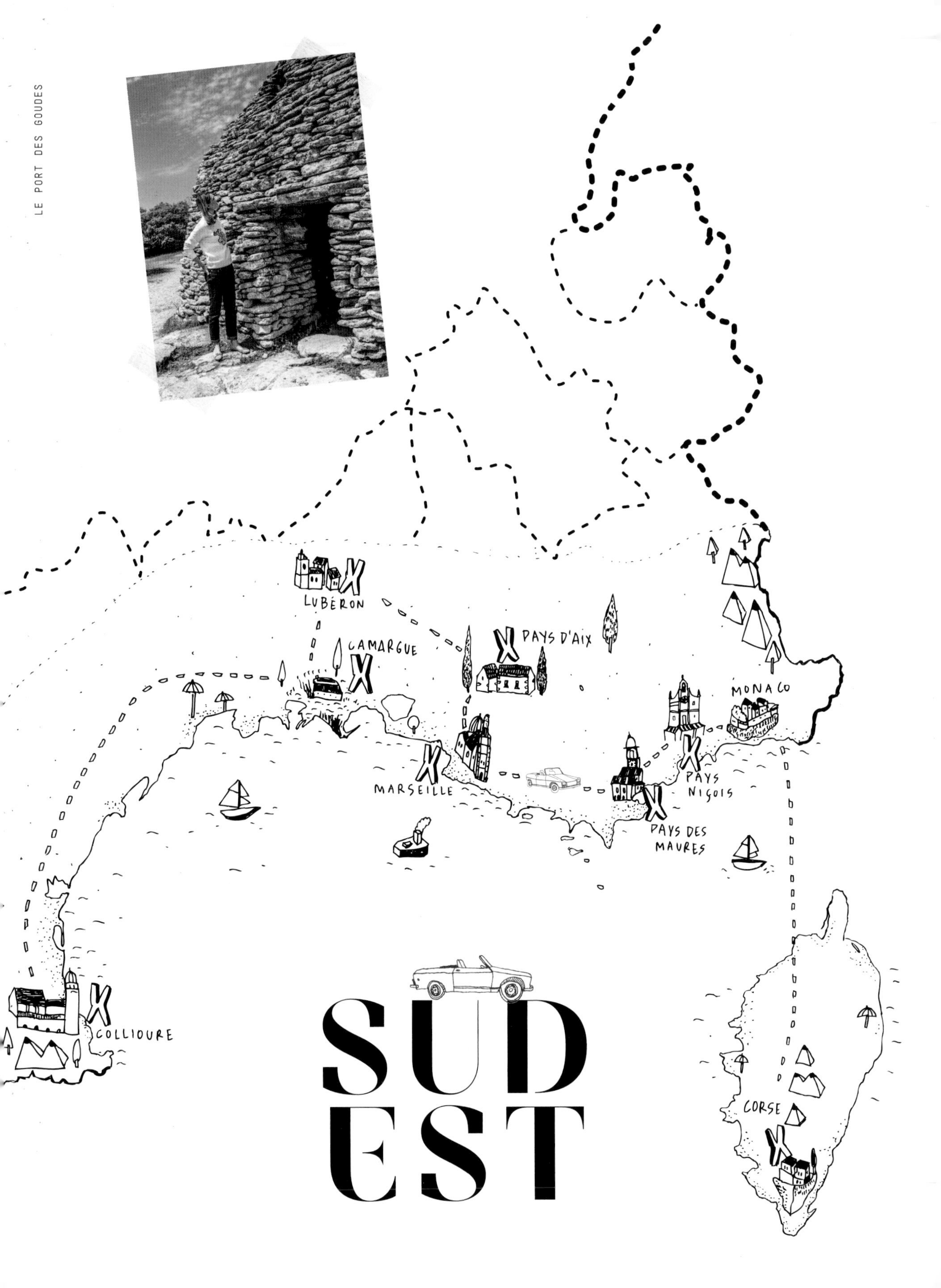

LE PORT DES GOUDES

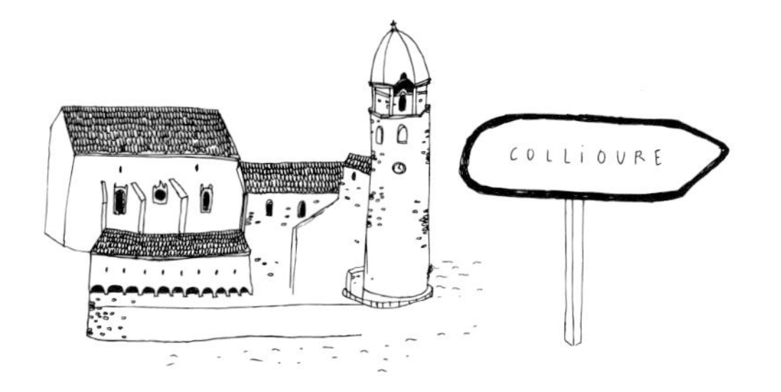

POUR 6 PERSONNES
PRÉPARATION 50 MIN
CUISSON 50 MIN
REPOS 10 MIN

LA PINYATA D'ANCHOIS
DE RAYMONDE

1,8kg d'anchois frais
1 petite tête d'ail rose
1/2 poivron vert
1/2 poivron rouge
2 c. à s. d'huile d'olive
1,2kg de pommes de terre à chair ferme
3 tomates mûres pelées
400g de petits crabes ou d'étrilles
1 morceau de lard rance (facultatif)
Sel
Poivre

La pignate, ou pinyata en catalan, était le plat que les pêcheurs mijotaient autrefois à bord de leurs traditionnelles barques catalanes. L'anchois en était généralement l'ingrédient principal, bien que la pignate puisse être cuisinée avec n'importe quel poisson. Abondants sur les rives des Pyrénées-Orientales au point d'être devenus l'emblème de Collioure, les anchois n'avaient qu'une faible valeur marchande dans leur version fraîche et les pêcheurs avaient peu de scrupules à les manger. Aînée d'une famille de 5 enfants, Raymonde a appris très tôt à cuisiner auprès de sa mère. Elle a ensuite exercé ses talents dans des restaurants puis en maison de retraite. Voilà des pensionnaires qui ont de la chance!

Étêtez et éviscérez les anchois. Placez-les dans une passoire. Réservez au frais. Frottez la cocotte au lard si vous l'utilisez. Pelez l'ail et coupez-le en tranches. Lavez les poivrons, épépinez-les et coupez-les en tranches très fines. Versez l'huile dans la cocotte, ajoutez l'ail et les poivrons et faites dorer en remuant pendant 10 min.

Pendant ce temps, pelez les pommes de terre et coupez-les en tranches de 1 cm d'épaisseur environ. Ajoutez les tomates dans la cocotte et écrasez-les, ajoutez les crabes et couvrez d'eau à hauteur. Salez et poivrez.

Couvrez et portez à ébullition. Ajoutez alors les pommes de terre, couvrez et laissez mijoter 30 min environ, jusqu'à ce que les pommes de terre soient cuites. Déposez délicatement les anchois sur le dessus de la cocotte sans trop les manipuler. Dès que l'ébullition reprend, couvrez et coupez le feu. Laissez reposer 10 min avant de servir.

Mes Conseils...

- *Si vous en avez le courage, retirez également l'arête des anchois, la dégustation sera plus facile.*

LE PETIT TRUC EN PLUS DE RAYMONDE : faites tremper les gousses d'ail en chemise dans un bol d'eau pour les peler plus facilement. La pinyata peut se faire avec toutes sortes de poissons.

POUR 12 À 14 PERSONNES
PRÉPARATION 30 MIN
CUISSON 1H30

MAR Y MUNTANYA
DE JEAN-PIERRE

1 ou 2 pieds de cochon (facultatif)
1 poulet coupé en morceaux, avec la carcasse
1 lapin coupé en morceaux, avec son foie
5 joues de cochon
12 calamars
12 gambas
1 belle queue de lotte pelée et coupée en 12 morceaux
50 g de cannelle en poudre
4 gros oignons
6 tomates pelées et concassées
Huile d'olive
Sel
Poivre

POUR LA PICADA
3 poignées d'amandes
2 c. à s. d'huile d'olive
4 ou 5 gousses d'ail
3 tranches de pain rassis
1/2 bouquet de persil
40 g de chocolat noir à 70 % de cacao au moins
1 c. à s. de vinaigre de Banyuls

Plus qu'un plat, mar y muntanya est le symbole de la Catalogne du Nord – comme on appelle la région là-bas : une bande de terre qui réunit mer et montagne. Géographie singulière qui préside au destin de ce «pays» depuis des millénaires, la plupart des habitants travaillant à la fois la mer et la terre : pêcheurs ou saleurs et vignerons ou agriculteurs. Les origines de cette recette sont à chercher du côté du Moyen Âge, alors que la plupart des plats mêlaient le sucré et le salé. On y retrouve aussi le chocolat noir rapporté du Nouveau Monde par les conquistadores espagnols et les amandes, diffusées en Europe via l'Espagne par les Arabes, les Maures. Plus qu'aucune autre, cette recette atteste du pouvoir de mémoire que recèle la cuisine et de sa capacité à témoigner de l'identité d'une région.

Préparez la picada : faites dorer les amandes à sec dans une poêle, puis concassez-les. Faites chauffer l'huile d'olive dans la poêle. Pelez et coupez les gousses d'ail, ajoutez-les avec le pain. Laissez dorer des deux côtés. Placez le chocolat dans le mortier, versez-y le contenu de la poêle et pilez. Incorporez le vinaigre. Réservez. Préchauffez le four à 180 °C (th. 6). Pelez et hachez les oignons. Désossez et émincez les pieds de cochon. Enrobez les morceaux de viande (poulet, lapin, joues) de cannelle. Versez 3 c. à s. d'huile d'olive dans la cocotte et faites dorer les viandes. Retirez-les et remplacez-les par les oignons. Laissez fondre 15 min sur le feu, ajoutez les dés de tomates et laissez fondre à nouveau. Ajoutez les viandes et couvrez d'eau à hauteur. Salez, poivrez et couvrez. Laissez mijoter au four 45 min.
Videz les calamars, lavez-les et coupez les poches en 4 dans la longueur. Coupez les tentacules. Placez-les dans une grande poêle, arrosez d'huile d'olive et portez sur feu moyen. Laissez cuire en remuant de temps de temps jusqu'à ce qu'ils blanchissent. Déposez les gambas dans la poêle et saisissez-les de chaque côté sur feu vif. Versez un peu d'huile dans la poêle et faites saisir les morceaux de lotte. Ajoutez tous les poissons et crustacés dans la cocotte et remettez au four à couvert 30 min. Avant de servir, prélevez un bol de jus de cuisson et versez-le sur la picada. Remuez et reversez dans la cocotte, puis servez.

Mes Conseils... • *Pour gagner du temps, utilisez un robot pour la picada mais ne hachez pas trop finement les amandes! • Accompagnez de pommes de terre.*

POUR 4 PERSONNES
PRÉPARATION 10 MIN
CUISSON 40 MIN

CALAMARS À L'OIGNON
DE MARIA JOSÉ

1,5kg de calamars
4 oignons
2 c. à s. d'huile d'olive
10cl de cognac
Quelques brins de persil
Piment d'Espelette (éventuellement)
Sel
Poivre

Comme toutes les épouses de marins pêcheurs que j'ai rencontrées, Maria José vend le poisson de son mari sur le port, « au cul du bateau », à ceux qui savent qu'il est alors moins cher et plus frais que nulle part ailleurs. Maria José est un livre de cuisine à elle toute seule. Rares sont les clients qui ne lui réclament pas une recette, les cuisiniers du dimanche ayant toujours peur de rater la cuisson du poisson, certes délicate. Elle me fit cadeau de celle-ci, à l'image de la cuisine des pêcheurs : peu d'ingrédients mais des bons, pour une cuisine simple et franche.

Videz les calamars et gardez les tentacules. Lavez-les et coupez-les en grosses lamelles. Épluchez les oignons, coupez-les en lamelles pas trop fines et faites-les fondre à l'huile d'olive sans coloration. Ajoutez les calamars. Augmentez le feu, puis ajoutez le cognac. Laissez évaporer, ajoutez du sel et du poivre, couvrez et laissez cuire à feu doux pendant 20 min.

Découvrez et laissez réduire à feu moyen 20 min supplémentaires. Saupoudrez de persil et, éventuellement, de piment d'Espelette.

Mes Conseils...

• Vous pouvez remplacer le cognac par du vin blanc.

POUR 8 PERSONNES
PRÉPARATION 15 MIN
CUISSON 10 MIN

LE BRAS DE GITAN
OU BRAS DE VÉNUS D'ADOLPHE

POUR LA GÉNOISE
125g de sucre
1 c. à s. de vanille liquide
3 œufs entiers
2 jaunes d'œufs
60g de farine
60g de fécule
1 pincée de sel

POUR LA CRÈME PÂTISSIÈRE
50cl de lait
100g de sucre
1 gousse de vanille
4 jaunes d'œufs
40g de poudre à crème
ou de fécule de riz
20g de farine
2cl de chartreuse verte

POUR LA DÉCORATION
Sucre glace
Pics en fer type brochette

Préchauffez le four à 240 °C (th. 8). Préparez la génoise : dans la cuve d'un batteur ou dans un saladier, versez le sucre, le sel, la vanille, les œufs et les jaunes. Placez au-dessus du feu et fouettez 3 min (si vous n'avez pas de gaz, faites chauffer le mélange au bain-marie). Cette étape permet de faire fondre le sucre et de précuire les œufs. Continuez de fouetter hors du feu jusqu'à ce que le mélange soit bien aéré, mousseux et refroidi.

Incorporez alors la farine et la fécule tamisées en soulevant la préparation avec une maryse. Remplissez une poche à douille (n° 10) de la pâte ainsi obtenue. Étalez la préparation sur une plaque à pâtisserie rectangulaire, couverte de papier sulfurisé. Pour que le gâteau soit plus régulier, tracez un cadre puis remplissez l'intérieur en zigzaguant. Enfournez et laissez cuire 5 à 7 min.

Pendant ce temps, préparez la crème. Dans une casserole, versez le lait, ajoutez le sucre et la gousse de vanille grattée. Remuez pour porter à ébullition. Parallèlement, fouettez les jaunes dans un saladier, ajoutez la poudre à crème et la farine, remuez puis reversez le lait sur les jaunes sans cesser de remuer. Transvasez à nouveau dans la casserole et fouettez énergiquement pendant 5 min ou jusqu'à ce que la préparation soit épaisse, puis ajoutez-y la chartreuse. Étalez-la sur un grand plat pour la laisser refroidir et filmez la crème « au contact », sans laisser d'air.

Sortez le gâteau. Quand la crème est froide, alignez deux feuilles de papier cuisson sur votre plan de travail et retournez la génoise sur ces feuilles. Retirez le papier de cuisson et étalez la crème sur la génoise. Roulez le biscuit en partant du bas, en vous aidant du papier et en serrant légèrement à chaque tour.

Placez 2 pics en fer sur le feu, saupoudrez le « bras » de sucre glace et marquez-le avec les fers. Tartinez les extrémités de crème et servez ou mettez au frais.

Originaire d'Espagne et plus particulièrement des environs de Saragosse, ce « bras » se retrouve un peu partout en Espagne et dans la partie française de la Catalogne mais aussi au Mexique, au Chili et aux Philippines. Personne ne fut capable de me donner la véritable origine de cet intitulé étrange et ce n'est pas faute d'avoir questionné de nombreux Catalans. Plus étrange par son nom que par sa composition, le bras de gitan n'étant, ni plus ni moins, qu'une génoise roulée, fourrée de crème pâtissière. C'est en goûtant la version d'Adolphe que je compris que cette recette pouvait confiner au merveilleux. Il faut dire que celui-ci, né en Espagne, ancien pâtissier et fils de pâtissier, a affiné cette recette tout au long de sa vie pour en établir aujourd'hui la meilleure version... à ses yeux (et à mon goût!).

Mes Conseils...

• Remplacez la poudre à crème par de la fécule de riz. • Faites tenir la feuille de papier sur la plaque en la « scellant » avec un peu de beurre. • Ne laissez pas sécher la génoise car elle serait difficile à rouler. Pour cela, détachez-la du papier juste avant de la garnir et de la rouler. • La chartreuse est une touche personnelle d'Adolphe mais vous pouvez la remplacer par de l'eau de fleur d'oranger ou un autre alcool.

PV 1,420t
PTAC 2,020t
PTRA
S 6,11 m

CAMARGUE

La manade

Emblèmes de la région, les taureaux vivent dans les vastes espaces de Camargue depuis toujours. Un élevage naturellement extensif et une nourriture on ne peut plus naturelle assurent à cette viande une saveur et une texture unique, faisant d'elle l'une des quatre races bovines françaises à bénéficier d'une AOC. Tournant le dos à une brillante carrière de banquière, Florence Clauzel a décidé de revenir à ses racines et de reprendre les rênes de la manade familiale. Les vedettes de son troupeau sont incontestablement les cocardiers, ces taureaux qui font carrière en participant à la cocarde, une course tauromachique camarguaise qui n'a pas grand-chose à voir avec la corrida de nos voisins espagnols puisque les animaux en sortent toujours vivants. C'est avec quelques tremolos dans la voix que Florence reconnaît les remarquables qualités gustatives et nutritionnelles de la viande de ses taureaux bien-aimés, cette viande étant particulièrement maigre.

Mes Conseils...

• Vous pouvez intégrer tous les fruits de mer de votre choix à cette farce et remplacer le saumon par d'autres poissons. Vous pouvez également choisir des filets de merlu, de cabillaud ou de tout autre poisson blanc à la place du muge.

POUR 6 PERSONNES
PRÉPARATION 30 MIN
CUISSON 1H10

GÂTEAU DE MUGE
DE SYLVAIN

Servi froid ou chaud, ce «gâteau» plus proche d'une terrine, s'accompagne d'une salade ou d'une assiette de frites. Dans tous les cas, il recèle des saveurs et des textures très contrastées. Un plat idéal pour une grande tablée car vous pouvez multiplier les quantités à l'infini... Tant que le gâteau entre dans votre four!

1,5kg de filets de muge ou mulet avec la peau
1 oignon
1 tomate
1 citron
1 bouquet de sauge

POUR LE FUMET
300g de petits crabes
1 oignon
5cl de vin blanc
10cl de martini ou de noilly-prat
Huile d'olive

POUR LA FARCE
300g de calamars
200g de coquillages décoquillés : moules, tellines, coques et/ou pétoncles
125g de saumon sans peau
125g de cabillaud sans peau
300g de gambas déjà cuites
Sel
Poivre

POUR SERVIR
Aïoli et légumes

Préchauffez le four à 180°C (th. 6) avec ventilation. Commencez par préparer le fumet. Épluchez et émincez l'oignon. Placez les crabes dans une casserole, arrosez-les d'un filet d'huile d'olive, ajoutez l'oignon et faites dorer sur feu vif. Il faut que ça «cramouille» un peu. Ajoutez alors du vin blanc et un trait de martini, puis laissez bouillir quelques minutes. Arrosez de 10cl d'eau, couvrez et laissez mijoter 15 min.

Pendant ce temps, mettez de côté un tiers de tous les ingrédients de la farce, coupez-les en morceaux. Passez et mélangez. Mixez finement tout le reste, ajoutez les morceaux, salez et poivrez légèrement la farce ainsi obtenue. Placez les crabes et leur bouillon dans un chinois et pilez pour recueillir tout le jus.

Arrosez un plat à gratin d'huile d'olive. Épluchez et émincez l'oignon très finement et répartissez-le dans le fond. Déposez la moitié des filets de poisson en une couche, peau vers le bas. Salez, poivrez et déposez 3 feuilles de sauge. Répartissez la farce sur le dessus. Recouvrez de filets peau vers le haut. Découpez la tomate et le citron en rondelles et répartissez-les sur le dessus. Déposez aussi les 3 gambas réservées. Arrosez de bouillon de crabe à mi-hauteur, puis versez le reste de martini et déposez le reste des feuilles de sauge. Couvrez d'une feuille de papier d'aluminium sans rabattre les bords et enfournez. Laissez cuire 50 min. Servez chaud, tiède ou froid.

POUR 6 PERSONNES
PRÉPARATION 15 MIN
CUISSON 3 À 4H

L'AIGRIADE
SAINT GILLOISE D'ÉGLANTINE

1,6kg de paleron de taureau de Camargue ou de boeuf, coupé en 6 tranches de 2cm
1 oignon
2 à 3 gousses d'ail
1 petit bouquet de persil
1 boîte de câpres au vinaigre, soit environ 70g
1 petite boîte de cornichons, soit environ 120g égouttés
70g d'anchois au sel ou à l'huile
1 c. à c. de thym
2 feuilles de laurier
10cl de vinaigre de vin rouge
5cl d'huile d'olive
Poivre

Un de mes plats favoris. Je le connaissais dans une version un peu différente, enrichi d'olives et cuisiné au vin blanc plutôt qu'au vinaigre. Grâce à Églantine, j'ai pu retourner aux sources de ce plat qui doit son nom à sa saveur aigrelette. La préparation est aussi simple que la cuisson est lente et douce. Ce plat était traditionnellement préparé par les mariniers du Rhône, la viande pouvant après cette longue cuisson au vinaigre se conserver près d'une semaine.

Préchauffez votre four à 120°C (th 4). Pelez et émincez finement l'oignons et l'ail. Lavez et ciselez le persil. Égouttez les câpres et les cornichons, puis hachez-les au couteau.
Rincez les anchois pour les débarrasser de leur sel et retirez-en l'arête centrale. Hachez-les également au couteau. Mélangez tous les condiments. Poivrez généreusement.
Dans la cocotte, versez l'huile d'olive. Répartissez un tiers des aromates dans le fond de la cocotte, tapissez avec la moitié des tranches de viande en les serrant sans les superposer. Recouvrez d'un deuxième tiers d'aromates, d'une autre couche de viande puis terminez par les aromates. Déposez les feuilles de laurier, arrosez de vinaigre, couvrez et enfournez pour 4 h. Inutile de remuer ou d'arroser pendant la cuisson. Vous pouvez éventuellement faire réduire le liquide de cuisson avant de servir.

Mes Conseils...

• Églantine a la chance de pouvoir cuire ce plat dans la cheminée, si c'est également votre cas, prévoyez 2h30 à 3 h de cuisson.
• Placez les câpres, le persil, les anchois et les cornichons grossièrement coupés dans un mixeur et mixez – pas trop finement – par à-coups.
• Traditionnellement, ce plat s'accompagnait de raves bouillis : panais, céleri, carottes et plus récemment de pommes de terre. • Vous pouvez remplacer le paleron par de la bavette.

Jacques Rozière est riziculteur, il cultive 300 hectares de « riz de Camargue » entre Arles et les Saintes-Maries-de-la-Mer. Sa famille cultive le riz depuis quatre générations et il a déjà communiqué le virus à ses enfants. Luttant contre la monoculture, plus rentable mais qui appauvrit les sols, il produit 5 variétés de riz : noir, rouge, rond, blanc et parfumé. Notre balade avait un air d'aventure. Grisant malgré mes 6 mois de grossesse !

POUR 6 À 8 PERSONNES
PRÉPARATION 20 MIN
CUISSON 1H

PAËLLA GITANE
DE BERNADETTE

500g de riz long de Camargue
3 belles cuisses de poulet
5cl d'huile d'olive
500g de blancs de seiche
500g de supions frais ou surgelés
12 gambas crues
Une douzaine de crevettes roses crues
1/2 l de moules
1 gros poivron rouge
1/2 bouquet de persil
3 gousses d'ail
1 grosse boîte de tomates pelées au naturel
1 c. à c. de thym
2 c. à c. de pimentón ou de paprika
3 pincées de safran
250g de petits pois frais, surgelés ou en conserve égouttés
250g de haricots verts égouttés, frais, surgelés ou en conserve
Quelques rondelles de chorizo (éventuellement)
1 bonne c. à c. de sel
Poivre

Coupez les cuisses de poulet en deux au niveau de la jointure, salez-les et poivrez-les. Versez l'huile dans le plat à paëlla et faites-les bien dorer sur feu assez vif pendant 15 min. Égouttez et réservez.

Coupez la seiche en morceaux, séchez-la et faites-la dorer ainsi que les supions dans la même huile sur feu vif. Salez et retirez de la poêle. Versez le jus qui s'est dégagé à la cuisson dans un bol et mettez à part.

Pendant ce temps, hachez grossièrement le poivron avec le persil et l'ail coupé en lamelles et faites fondre le tout dans la poêle. Réservez dans un plat. Versez les tomates concassées et leur jus. Salez, poivrez et ajoutez le thym. Laissez mijoter 10 min à feu vif.
Ajoutez alors tous les ingrédients réservés ainsi que les gambas et les crevettes crues, saupoudrez de paprika et de safran et mélangez 5 min en soulevant bien. Ajoutez le riz et mélangez 2 min pour bien l'enrober. Ajoutez environ 65 cl d'eau bouillante sur le riz, remuez bien, puis incorporez les petits pois et les haricots. Déposez les moules sur le dessus. Dès que l'ébullition reprend, couvrez de papier aluminium et laissez cuire sur feu moyen 15 min. Retirez le papier aluminium au bout de 15 min et laissez cuire encore 10 à 15 min.

Mes Conseils...

- Le pimentón (paprika fumé) est un ajout personnel mais le safran utilisé par Bernadette était probablement un mélange de paprika et de safran. Ce qui est nettement plus économique et plus proche du goût originel !
- Jacques recommande, quant à lui, du riz rond car il absorbe mieux le liquide de cuisson mais reconnaît que celui-ci se réchauffe moins facilement. À vous de voir !

L'ocre de Roussillon

LUBERON

J'ai commencé mon aventure dans le Luberon sur le sentier des ocres où se loge le célèbre et charmant village de Roussillon. Il doit son nom à la roche sur laquelle (et de laquelle) il s'est construit. Classé parmi les plus beaux villages de France, les façades de ses maisons font écho au rouge flamboyant des carrières qui, avec leurs cheminées de fées, ces grandes colonnes naturelles d'ocre, nous donnent presque l'impression d'être sur une autre planète ou en plein cœur du Colorado. Quand je vous disais qu'il n'est pas nécessaire de courir le monde pour être dépaysé !

POUR 10 PERSONNES
PRÉPARATION 10 MIN
CUISSON 1H25

SOUPE DE PETIT ÉPEAUTRE D'ANNIE

350 g de petit épeautre
2 grosses tomates
3 branches de céleri (jeune)
1 poireau jeune
1 kg de carottes
3 pommes de terre
4 gousses d'ail
2 oignons
3 c. à s. d'huile d'olive
300 g de poitrine salée et séchée, taillée en grosses tranches
3 clous de girofle
1 kg de jambon cru coupé en gros morceaux
Sel
Poivre

Le petit épeautre est un grain à remonter le temps. Il fait partie des premières céréales consommées par l'homme, au même titre que l'orge et bien avant le blé. Contrairement à ce dernier, réservé aux plaines fertiles, le petit épeautre peut se cultiver sur des sols secs et caillouteux comme ceux du Vaucluse et des Alpes-de-Haute-Provence. Jamais modifié, jamais croisé avec d'autres céréales (au contraire du blé), le petit épeautre est l'un des aliments les plus stables, car plus résistant, moins allergène, et des plus nutritionnellement riches de notre alimentation. Il a pourtant failli disparaître il y a quelques décennies, sa culture étant plus laborieuse – le grain doit être décortiqué – et son cycle végétatif plus long que celui du blé. Merci à Sandrine Faucou et à sa famille d'en cultiver vaillamment depuis 6 générations ! Vous trouverez leurs coordonnées dans le carnet d'adresses à la fin du livre.

Lavez tous les légumes. Pelez et coupez grossièrement l'ail et les oignons. Faites-les revenir avec l'huile d'olive et la poitrine salée à feu vif en remuant. Ajoutez successivement, en remuant souvent, les tomates coupées en gros morceaux, le céleri taillé en tronçons de 3 cm, le poireau avec son vert, les carottes coupées en petits morceaux, les pommes de terre et le jambon. Ajoutez les clous de girofle, les morceaux de jambon cru et couvrez d'eau à hauteur. Salez peu, poivrez généreusement et portez à ébullition. Ajoutez alors le petit épeautre, couvrez, portez à ébullition et laissez cuire 1 h 15 à petit bouillon.

Mes Conseils...

- Choisissez des légumes jeunes d'un vert tendre, ils ont une saveur plus fine. Ne confondez pas épeautre et petit épeautre.

POUR 8 PERSONNES
PRÉPARATION 10 MIN
CUISSON 40 MIN
REPOS 12 H

CRESPEOU
D'ANDRÉE

14 oeufs
3 poivrons vert, jaune et rouge
1 poignée d'herbes au choix dont le parfum se marie bien
30 g de pignons
2 oignons frais
1 c. à s. de tapenade noire
50 cl de bonne sauce tomate maison
14 c. à s. d'huile d'olive
Sel
Poivre

Quelle merveilleuse personne et quelle merveilleuse recette! Andrée est une véritable fée des fourneaux. Généreuse, hospitalière et joyeuse comme les Provençaux savent l'être. Elle a d'ailleurs publié quelques livres sur la cuisine provençale qui ont rencontré un grand succès. C'est dire si elle connaît son sujet et en particulier celui du crespeou qui va assurément devenir votre entrée d'été favorite. L'idée est simple : un mille-feuille d'omelettes de couleurs et de saveurs différentes qui se soudent en refroidissant et créent un gâteau arc-en-ciel. Andrée préfère superposer ses omelettes dans un plat rond pour que son crespeou démoulé forme un joli dôme après démoulage.

La veille, lavez les poivrons et enfournez-les sous le gril jusqu'à ce que la peau se fendille. Placez-les dans un saladier et fermez hermétiquement. Laissez reposer 10 min, puis pelez les poivrons et épépinez-les. Détaillez-les en grosses lanières et réservez-les par couleur. Lavez, essorez et ciselez finement les herbes. Faites dorer les pignons avec les oignons ciselés dans un peu d'huile d'olive. Réservez tous ces ingrédients séparément.
Dans une petite poêle antiadhésive, versez 2 c. à s. d'huile d'olive et placez le poivron rouge. Laissez chauffer 1 min. Cassez 2 œufs dans un bol, salez et poivrez-les, puis versez-les sur les poivrons. Cassez un peu l'omelette avec une spatule pour assurer une cuisson homogène et laissez cuire. Retournez-la et laissez-la cuire encore un peu. Elle doit être souple mais pas baveuse. Déposez l'omelette dans un petit saladier concave.
Fouettez 2 œufs avec la tapenade. Faites cuire dans la poêle huilée de la même façon et déposez sur la première omelette. Recommencez successivement avec le poivron vert, les herbes, les pignons, le poivron jaune et la tomate. Posez une assiette sur les omelettes et ajoutez un poids au-dessus. Laissez prendre ainsi 1 nuit au frais.
Le jour même, égouttez le jus rendu et démoulez. Servez frais mais pas froid avec le reste de sauce tomate.

Mes Conseils...

• Cette recette est pratique car elle s'adapte au potager ou au marché. Elle éveille aussi la créativité du cuisinier ; vous pouvez oser la betterave, le parmesan, les asperges, les petits pois, etc. • Pour gagner du temps, préparez tous les ingrédients de votre garniture à l'avance pour enchaîner les omelettes.

POUR 10 PERSONNES
PRÉPARATION 10 MIN
REPOS 3 SEMAINES À 1 MOIS ET DEMI

POITRINE ROULÉE
DE BERNARD

1 beau morceau de poitrine de porc fraîche de qualité
Quelques branches de thym
Quelques branches de sariette
Quelques feuilles de laurier
Sel
Poivre

La famille de Bernard est installée dans le Lubéron depuis le XIIe siècle. Les recettes se transmettent de génération en génération avec toujours le même mot d'ordre : simplicité et qualité des ingrédients. Tout cela dégusté sous le soleil, dans la chaleur de l'amitié des grandes tablées. Mais pourquoi ne sommes-nous pas tous provençaux !?

Taillez la poitrine en rectangle : pour savoir si elle est bien coupée, pliez-la en deux dans le sens de la longueur pour voir si elle aura une jolie forme une fois roulée. Mettez la poitrine à plat et poivrez-la. Salez bien : la poitrine doit être quasiment recouverte de sel.

Broyez finement les herbes de Provence. Saupoudrez modérément sur le sel (attention : il faut que ça sente la Provence mais pas la pharmacie). Pliez ensuite la poitrine et ficelez-la : en serrant, elle doit s'arrondir. Frottez la couenne et les extrémités avec du sel.

Suspendez-la dans un endroit frais et bien aéré. Selon la grosseur de la poitrine, vous pouvez commencer à la manger au bout de 3 semaines. L'idéal est d'attendre 1 mois et demi. Une fois entamée, mettez-la au frigo, l'entame recouverte de papier aluminium. Découpez en tranches fines et mangez avec les doigts !

POUR UNE TERRINE
DE 1,2KG À 1,3KG
PRÉPARATION 10 MIN
CUISSON 2 H

TERRINE DE POULET
AU PIMENT D'ESPELETTE D'ÉVELYNE

- 500g de blanc de poulet
- 500g de gorge de porc
- 2,5g de piment d'Espelette en poudre
- 50g d'oignons
- 30g de carottes
- 3 oeufs
- 4cl d'aïgardent (eau-de-vie de marc de Provence), de cognac ou d'armagnac
- 30g de petits pois crus, frais ou congelés
- 22g de sel
- 3g de poivre aux 5 baies

L'air de rien, Evelyne et Bernard mènent de front leur exploitation et leur table d'hôtes. Ils élèvent poulets, oies, pintades et canards et cultivent une large palette de légumes. Autant dire que les ingrédients de cette recette étaient on ne peut plus frais...

Épluchez et hachez les oignons, puis faites-les cuire dans une poêle avec de l'huile d'olive. Pendant qu'ils refroidissent, hachez la viande assez grossièrement — si vous avez un hachoir, utilisez la grille n° 10. Coupez les carottes en petits dés.

Mettez tous les ingrédients dans un grand saladier, en respectant assez précisément les dosages. Mettez d'abord la viande, puis les œufs, les oignons, l'aïgardent, les carottes, les petits pois encore congelés ou frais, le sel, le poivre et le piment d'Espelette, puis mélangez le tout.

Garnissez une terrine de crépine de porc, en laissant dépasser de chaque côté pour ensuite pouvoir recouvrir la préparation. Remplissez la terrine, tassez légèrement et recouvrez avec la crépine. Faites cuire la terrine au bain-marie, dans un four à 150 °C (th. 5) pendant 2 h.

POUR 6 PERSONNES
PRÉPARATION 15 MIN
CUISSON 1H45

TOMATES CONFITES
DE BERNARD ET ÉVELYNE

POUR 1 BOCAL DE 2L DE TOMATES EN CONSERVE
- 2 kg environ de tomates fraîches
- 1 c. à c. de sel
- 1 petit verre d'eau

POUR LES TOMATES CONFITES
- 1 bocal de tomates
- 1 filet d'huile d'olive
- 2 gousses d'ail
- Quelques branches de persil
- Sel
- Poivre

Deux recettes en une : la conservation des tomates au naturel et la méthode pour les confire. Évelyne ajoute une persillade pour évoquer les fameuses tomates à la provençale.

Coupez les tomates en deux, placez-les dans un bocal face coupée vers le bas. Remplissez les bocaux, ajoutez 1 c. à c. de sel par bocal et 1 petit verre d'eau. Fermez les bocaux et faites-les stériliser 45 min à 100 °C. Conservez 2 ans.

Pour les confire, préchauffez le four à 150 °C (th. 5), placez les tomates dans un plat allant au four, salez, poivrez, ajoutez 1 filet d'huile d'olive et enfournez 1 h. Sortez le plat, ajoutez de l'ail et du persil. Si le fond du plat est sec, il faut rajouter un peu de l'eau de la conserve, et remettre au four environ 10 min.

LE CONSEIL DE BERNARD : vous pouvez évidemment faire des tomates à la provençale avec des tomates fraîches pendant l'été. Mais vous n'aurez jamais cette exquise consistance confite.

Je visite le village des Bories à Gordes, précieux temoignage de l'architecture vernaculaire dans le Luberon.

Dans le potager d'Édouard Loubet à Lourmarin.

POUR 6 PERSONNES
PRÉPARATION 10 MIN
CUISSON 10 À 15 MIN
REPOS 2 À 24 H

BROUILLADE AUX TRUFFES
DE DAVID

15 oeufs
60 g de truffes,
ou plus si vous le souhaitez
20 g de beurre
5 cl de crème liquide
Sel
Poivre

C'est dans l'enceinte d'une demeure exceptionnelle que nous avons été reçus pour notre banquet provençal. Ancienne résidence des comtes de Provence, la villa Baulieu s'élève au cœur d'un parc majestueux de 300 hectares. Les vignes y sont majoritaires mais on y trouve aussi une truffière. David, le régisseur de la villa, cuisina pour notre tablée une exceptionnelle brouillade de truffes. Son astuce révèle l'essentiel de la truffe : il fait mariner un tiers dans les œufs crus, en ajoute un autre tiers en cours de cuisson, puis le dernier tiers à cru. C'est incontestablement la meilleure brouillade qu'il m'a été donné de goûter.

Cassez les œufs dans un saladier et ajoutez 20 g de truffes coupées en lamelles très fines. Salez, poivrez et fouettez pour mélanger. Laissez reposer 2 à 24 h au frais, couvert d'un film alimentaire.

Retirez le film et ajoutez encore 20 g de lamelles de truffes aux œufs. Faites fondre le beurre dans une cocotte en fonte de taille moyenne sur feu moyen. Ajoutez les œufs, diminuez le feu et remuez sans cesse avec une spatule en bois pendant 10 à 15 min, jusqu'à ce que le mélange épaississe. Quand la brouillade a la texture d'une soupe épaisse, retirez-la du feu et ajoutez la crème qui stoppe la cuisson. Remuez et servez tout de suite, en taillant en copeaux les 20 g de truffes restants. Accompagnez de pain de campagne grillé.

LE CONSEIL DE DAVID : pour éviter le bain-marie, il faut utiliser une cocotte épaisse en fonte et faire cuire la brouillade sur feu très doux.

POUR 6 PERSONNES
PRÉPARATION 15 MIN
CUISSON 5 H
REPOS 24 H + 12 H

DAUBE DE BOEUF
DE CÉLINE

1,2 kg de paleron de boeuf en gros morceaux de taille égale
3 oignons
6 clous de girofle
5 carottes
1 blanc de poireau
1 branche de céleri
3 gousses d'ail
4 baies de genièvre
1/3 c. à c. de noix de muscade
1 c. à c. de sel
1 bouteille de vin rouge un peu corsé
2 c. à s. d'huile d'olive
200 g de lardons frais
1 c. à s. de farine
1 à 2 lamelles de zeste d'orange
1 bouchon de cognac
1 c. à c. de concentré de tomate
Poivre

Pièce maîtresse de la gastronomie provençale, la daube peut être de mouton, de bœuf ou de sanglier et se cuisiner au vin rouge ou blanc. Dans tous les cas, il est impératif de la préparer la veille pour que les parfums se mélangent et d'y ajouter le sacro-saint zeste d'orange, indissociable de tous les plats provençaux mijotés.

L'avant-veille, déposez la viande dans un grand saladier et ajoutez 1 oignon épluché et piqué des clous de girofle.

Pelez une carotte, fendez le poireau en deux pour le laver. Coupez la branche de céleri, la carotte et le poireau en gros tronçons. Écrasez les gousses d'ail « en chemise ». Mettez le tout dans le saladier. Ajoutez les baies de genièvre et la noix de muscade. Salez, poivrez, versez le vin, couvrez et laissez mariner 24 h au frais.

La veille, préchauffez le four à 150 °C (th. 5). Égouttez l'oignon et coupez-le grossièrement, épluchez et hachez les 2 autres oignons. Versez l'huile d'olive dans une cocotte et faites-y fondre les oignons. Ajoutez rapidement les lardons. Faites fondre sans dorer. Ajoutez la viande bien égouttée et remuez de temps à autre pendant 3-4 min. Saupoudrez de farine et laissez cuire encore 3 min. Ajoutez alors toute la marinade ainsi que le zeste d'orange et le cognac. Diluez le concentré de tomate dans la sauce. Portez à frémissement, couvrez et enfournez. Laissez cuire 5 h.

Laissez refroidir et mettez au frais pour 1 nuit au moins. Le jour même, réchauffez doucement avant de servir et accompagnez de pommes de terre bouillies.

Mes Conseils...

- Prélevez les zestes de l'orange en évitant le blanc, situé entre la chair et le zeste, qui est amer.

POUR 12 PERSONNES
PRÉPARATION 10 MIN
CUISSON 15 MIN
REPOS 1 À 2 H

BAGNA CAUDA
DE DAVID

POUR L'ANCHOÏADE
30 anchois au sel ou 60 filets (éventuellement conservés à l'huile)
1,5 têtes d'ail
40 cl d'huile d'olive

POUR LES CRUDITÉS
Concombres
Fenouils
Céleris branches
Tomates cerises
Endives
Chou-fleur
Carottes

Littéralement « bain chaud », cette sauce n'est rien d'autre qu'une anchoïade chaude. Fidèle à la recette traditionnelle, elle ne contient rien d'autre que de l'ail, de l'anchois et de l'huile d'olive. Ne perdez pas votre temps à couper les anchois, ils fondent sous l'effet de la chaleur. Ai-je besoin de vous préciser que cette sauce ne se conçoit qu'avec d'excellents anchois – voir le carnet d'adresses –, le meilleur ail – pour moi, c'est celui de Lautrec – et une huile d'olive bien parfumée ? Pour les légumes à tremper, soyez exigeants aussi. Bref, pour faire bon, achetez du bon !

Détachez les filets d'anchois de l'arête, rincez-les pour retirer le gros sel et laissez-les tremper dans l'eau fraîche 1 à 2 h pour les dessaler. Égouttez.

Pelez les gousses d'ail et émincez-les en lamelles le plus finement possible. Versez l'huile d'olive dans une petite cocotte ou casserole à fond épais. Ajoutez l'ail et faites chauffer sur feu doux. Ajoutez les anchois et remuez régulièrement pour qu'ils fondent. Comptez 15 min de cuisson environ. Vous devez obtenir une pâte épaisse.

Pendant ce temps, lavez tous les légumes et coupez les concombres, les céleris et les carottes en bâtonnets de 5 à 7 cm environ. Effeuillez les endives, détachez les fleurettes du chou-fleur et les « feuilles » des fenouils. Disposez-les joliment dans un plat et trempez-les dans la sauce chaude.

Mes Conseils...

- Comme David, utilisez un caquelon à fondue pour maintenir la sauce au chaud.

MARSEILLE

Pêche au poulpe

Quel souvenir mémorable que cette partie de pêche au poulpe ! Du petit port des Goudes, j'ai embarqué sur le petit bateau de Camille et de son frère Toinou. Ces authentiques Marseillais m'ont expliqué qu'en cas de grosse mer, « il n'y a qu'à prier et regarder la Bonne-Mère ». Elle nous a entendus ! Et aidés à tracer notre route, sur une mer déchainée par le mistral, jusqu'à l'île Maïré en face de Callelongue. Traditionnellement, les pêcheurs de poupre – c'est ainsi qu'on appelle le poulpe à Marseille – utilisent une patte de poulet en guise d'appât, autour de laquelle le poulpe s'accroche. Une pêche aujourd'hui très contrôlée, le poulpe étant victime de surpêche. Auparavant méprisé à cause de sa chair trop dure, le poulpe a connu un retour en grâce fulgurant depuis que les cuisinières ont découvert que sa chair pouvait s'attendrir par un passage au congélateur. Pour une fois que les pêcheurs recommandent de manger surgelé !

POUR 6 PERSONNES
PRÉPARATION 15 MIN
CUISSON 45 MIN

LA BOUILLABAISSE
D'ÉPINARDS DE JEANINE OU ÉPINARDS À LA MARSEILLAISE

400g d'épinards jeunes ou de pousses
2 doses de safran
2 oignons
1 blanc de poireau
Quelques bâtons de fenouil sec
2 feuilles de laurier
10cl d'huile d'olive
3 belles gousses d'ail
2 étoiles de badiane
Le zeste de 1 orange
12 pommes de terre moyennes à chair ferme
1 bol de tomates concassées
6 oeufs
Piment d'Espelette
Sel

C'est à mon ami Michel Portos que je dois notre rencontre, ce qui me permet de dire que Jeanine est un peu la fiancée des grands chefs marseillais. Aujourd'hui à la retraite, cette ancienne restauratrice leur offrait dans son établissement, situé à deux pas du vieux port, un lieu de rendez-vous et de convivialité où les spécialités marseillaises s'affichaient sous leur meilleur jour. Bien sur, elle aurait pu me cuisinier la traditionnelle bouillabaisse mais elle préféra m'en faire découvrir une version plus confidentielle et non moins authentiquement marseillaise : la bouillabaisse sans poisson. À base de légumes et d'œufs, elle emprunte à la recette maritime le safran, l'ail et les tomates. Un joli plat du dimanche, aussi savoureux qu'équilibré.

Diluez le safran avec un peu d'eau. Émincez les oignons et le poireau, le fenouil et le laurier et faites-les fondre dans l'huile dans un faitout, ou dans un plat en terre cuite. Ajoutez l'ail pelé et juste écrasé, la badiane et le zeste d'orange. Laissez fondre 5 à 10 min. Pelez et coupez les pommes de terre en rondelles épaisses. Ajoutez les tomates et le safran avec son eau. Plongez les pommes de terre et ajoutez de l'eau à hauteur. Salez, pimentez et couvrez. Laissez mijoter 30 min.

Retirez le couvercle, ajoutez les épinards lavés et égouttés, remuez délicatement. Quand ils sont tombés, au bout de 2 min environ, cassez les œufs dans la préparation en les séparant les uns des autres. Laissez mijoter à feu doux en couvrant de temps en temps. Dès que le blanc est un peu pris, servez.

Mes Conseils...

• Proposez un peu de pain grillé, éventuellement aillé, à mettre dans le fond des assiettes. • On peut y ajouter du vin blanc mais pas du pastis, comme le font certains restaurateurs au grand dam de Jeanine!

PRÉPARATION 10 MIN
CUISSON 10 MIN
REPOS 2 H

LES PANISSES
« FAÇON JEANINE »

250 g de farine de pois chiche
1 c. à c. rase de sel
1 c. à s. d'huile d'olive
Noix de muscade râpée

Les panisses sont la version frite de la socca. Pour ceux qui ne connaissent ni l'une ni l'autre, il s'agit d'une pâte faite de farine de pois chiche, d'eau et de sel, parfois cuite au four dans de grands poêlons de cuivre — la socca niçoise — ou coupée en rondelles et frite dans l'huile — les panisses marseillais. Dans les deux cas, cette nourriture méditerranéenne de rue (c'est aussi une spécialité ligure) se mange à l'apéritif, brûlante et surtout, avec les doigts. Incontournable à Marseille !

Faites bouillir 1 l d'eau et jetez la farine en pluie. Afin d'éviter les grumeaux, Jeanine préfère mélanger à froid la farine avec l'eau, le sel et l'huile. Mettez l'ensemble sur le feu et mélangez très doucement jusqu'à obtenir un mélange bien épais et homogène.

Dès que cela prend l'aspect de purée, laissez refroidir durant 2 h minimum en couvrant de papier cuisson afin que la pâte ne sèche pas. L'idéal est de préparer la pâte pour le lendemain.

Pour réaliser les rouleaux de panisses, versez la pâte dans des moules cylindriques — Jeanine utilise des boîtes de conserve ouvertes des 2 côtés par exemple — et posés à la verticale.

Coupez les rouleaux en tranches de 1,5 cm d'épaisseur et faites-les frire soit dans une friteuse, soit à la poêle, dans un mélange d'huile d'olive et d'huile de tournesol pour obtenir un meilleur goût. Servez.

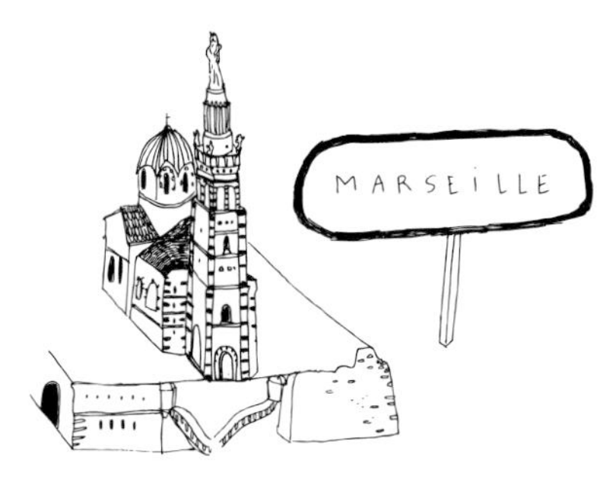

POUR 6 PERSONNES
PRÉPARATION 20 MIN
CUISSON 1H
REPOS 24 H

LA JAMBINETTE DE POULPE
DE CAMILLE

- 1 poulpe de 1,2kg
- 2 oignons
- 3 gousses d'ail
- 5cl d'huile d'olive
- 5cl de pastis
- 400g de tomates pelées au naturel ou de tomates fraîches pelées selon la saison
- 1 bouquet garni
- 70g de concentré de tomate
- 1 piment séché ou 1 c. à c. de harissa
- Une dizaine d'olives noires à la grecque
- Sel

Au risque de vexer les Marseillais comme les Bolognais, je dirais que cette recette s'apparente à une bolognaise de poulpe. Une bien jolie idée pour cuisiner le poulpe autrement qu'en salade. Pour aller au bout de mon idée, je vous recommande d'ajouter une poignée de pâtes courtes, type penne ou casarecce, à vos pattes de poulpe !

Entreposez le poulpe au congélateur au moins 24 h pour l'attendrir. Laissez-le décongeler et videz-le (gardez la poche, appelée la calotte). Retirez le bec. Placez-le dans une casserole, couvrez d'eau à hauteur, couvrez et portez à ébullition. Laissez frémir 30 min.

Pendant ce temps, émincez les oignons et l'ail. Faites blondir l'oignon avec l'huile d'olive. Égouttez le poulpe en réservant l'eau de cuisson. Coupez-le en morceaux et ajoutez-le dans la cocotte des oignons, remuez quelques minutes, puis déglacez avec le pastis. Ajoutez les tomates grossièrement concassées, le bouquet garni, le concentré, le piment et les olives. Couvrez à hauteur avec l'eau de cuisson. Salez, déposez le couvercle en laissant un petit espace pour que la sauce réduise. Laissez frémir 30 min ou plus si le poulpe est encore ferme.

Mes Conseils...

• *Vous pouvez remplacer le piment par 1 c. à c. de harissa.* • *Je vous conseille d'arroser ce plat d'huile d'olive avant de servir et de le décorer d'un peu de basilic ou de thym frais.* • *Comme les Marseillais, vous pouvez ajouter un zeste d'orange séché dans votre bouquet garni.*

LE PETIT TRUC EN PLUS DE CAMILLE : Camille ajoute une « rasade » de vin cuit — un produit provençal que vous pouvez remplacer par un porto ou un banyuls —, mais ce n'est pas indispensable.

POUR 8 PERSONNES
PRÉPARATION 40 MIN
CUISSON 2H À 2H30

ALOUETTES SANS TÊTE
DE CHRISTOPHE

16 tranches de paleron bien fines (prises dans le coeur, avec le nerf au centre)
1 oignon
1 gros bouquet de persil plat
4 gousses d'ail
16 gros lardons de poitrine salée
100 g de concentré de tomate
50 cl de vin rouge
1 bouquet garni (thym, laurier, romarin, céleri branche, fenouil séché et une belle écorce d'orange)
5 baies de genièvre
3 c. à s. d'huile d'olive
Piment (éventuellement)
Sel
Poivre

Pour résumer la place que tient ce plat dans le répertoire culinaire marseillais, je me contenterai de citer la phrase de Camille au banquet qui nous réunit à la fin de ma balade marseillaise : «c'est tellement connu que je ne pensais pas que c'était marseillais!». Comment lui avouer que moi, la Marseillaise (cela remonte à mes arrière-grands-parents, mais quand même...), je n'avais jamais entendu parler des alouettes sans tête. Tellement marseillais que ce n'est pas vraiment sorti de Marseille, hormis sous la forme plus générique de paupiettes. Les vraies alouettes ne se ficellent pas mais se ferment comme une enveloppe, dans un habile tour de main qu'a tenté de m'enseigner Christophe : «Si une Marseillaise sert des alouettes ficelées à table, ça jette un froid!». Qu'on se le dise, on ne plaisante pas avec les traditions à Marseille.

Hachez l'oignon finement. Hachez le persil et l'ail pour faire la persillade, salez et poivrez ce mélange. Préparez les alouettes : sur la base d'une tranche de paleron, posez 1/2 c. à c. de persillade. Ajoutez un lardon, pliez les côtés puis roulez bien serré, terminez en faisant une petite incision sur le côté du paleron pour fermer "l'alouette". Si vous n'y parvenez pas (il faut de longues années de pratique !), ficelez-les. Faites-les revenir avec l'huile d'olive dans une cocotte puis retirez-les.

Faites fondre l'oignon dans la cocotte, puis ajoutez le concentré de tomate et remuez bien. Ajoutez un peu de vin pour diluer, mettez le bouquet garni, puis enfoncez les alouettes dans cette sauce. Ajoutez du vin pour couvrir presque à hauteur, les baies de geniève et le piment si vous l'utilisez. Sinon, poivrez généreusement. Salez peu. Portez à ébullition et laissez mijoter à feu doux et à couvert 2 h à 2 h 30.

Découvrez en fin de cuisson pour faire épaissir la sauce. Retirez le bouquet garni en fin de cuisson. Christophe sert ces alouettes avec des pâtes fraîches légèrement huilées à l'huile d'olive et du parmesan râpé.

Mes Conseils...

- Achetez des oranges non traitées et prélevez leur zeste au moment de l'achat pour le faire sécher à l'air libre. Vous en aurez toujours sous la main. Sinon, une fois pressée, difficile de zester l'orange.

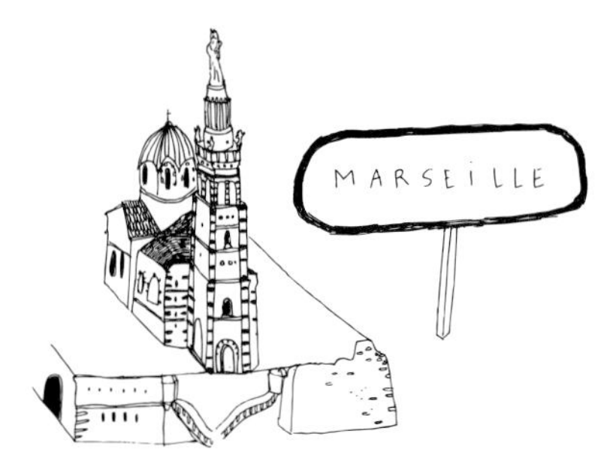

POUR 45 NAVETTES
PRÉPARATION 10 MIN
CUISSON 13 À 15 MIN
REPOS 3 H

LES NAVETTES
DE TOINOU

375 g de sucre en poudre
70 g de beurre, on peut aussi utiliser l'équivalent d'huile si besoin
4 oeufs
3 c. à s. d'eau de fleur d'oranger
750 g de farine

Pour Toinou, les navettes seraient plutôt des barques tant il passe de temps sur l'eau pour traquer le poisson. Ce biscuit, devenu l'emblème de la gourmandise marseillaise, n'est plus guère fait maison, même dans les pâtisseries. C'est sans doute la raison de la saveur si particulière et de la texture croquante, sans être dure, des navettes de Toinou. Il m'a même préparé une plaquette-navette à mon nom. Ne m'en veux pas Toinou, mais j'ai préféré la conserver plutôt que de la manger. Mais je manque de craquer chaque jour!

Préparez une pâte lisse en mélangeant le sucre en poudre, le beurre et les œufs et 2 c. à s. d'eau de fleur d'oranger. Incorporez la farine petit à petit.

Sur un plan de travail fariné, partagez la pâte en plusieurs morceaux. Roulez-les en boudins dans lesquels on découpera des tronçons plus ou moins gros — de 1,5 à 2 cm de diamètre — selon la taille souhaitée des navettes qui sont en général de 7 cm. Pincez les extrémités pour leur donner une forme ovoïde. Placez-les sur une plaque à four beurrée ou sur du papier sulfurisé. Avec la pointe d'un couteau, entaillez-les dans le sens de la longueur. Mettez à reposer 3 h dans un endroit tiède.

Mettez à cuire à four moyen à 200-220 °C (th. 7) ou en chaleur tournante entre 180 et 200 °C (th. 6-7) pendant 13 min. Si elles ne sont pas assez cuites, remettez-les au four 2 min feu éteint. À la sortie du four, badigeonnez-les d'eau de fleur d'oranger à l'aide d'un pinceau.

POUR UNE QUINZAINE DE PETITS PÂTÉS DE 200G CHACUN
PRÉPARATION 15 MIN
CUISSON 2H30
REPOS 2J À 2 ANS

PÂTÉ DE GRIVES D'YVES

- 1kg de grives plumées et vidées
- 1kg de foie de porc
- 1kg de gorge de porc
- 8 baies de genièvre
- 3 oeufs
- 18 à 20g de sel au kilo, soit 55g
- 3g de poivre au kilo, soit 9g
- 15cl de cognac ou d'eau-de-vie

Les grives sont le gibier de référence des tablées provençales. Leur chasse est une institution et les façons de les accommoder imposent de respecter la délicatesse de leur chair : en broches rôties longuement devant la cheminée, entourées de fines tranches de lard ou en terrine, à la façon d'Yves. Dans les deux cas, elles se dégustent avec une belle tranche de pain de campagne frottée à l'ail.

Hachez le foie de porc et la gorge de porc au hachoir, à la grosse grille. Coupez les têtes et le bout des pattes des grives. Hachez les grives au hachoir à grille moyenne en ajoutant les baies de genièvre, puis repassez la préparation à la grille fine (pour qu'on ne sente pas les os).

Mélangez le tout avec les œufs, le sel, le poivre et l'alcool. Remplissez des bocaux de 200g de cette préparation, vissez-les bien et placez-les dans une cocotte. Couvrez d'un torchon et glissez les bords entre les verrines et les parois pour éviter qu'elles ne bringuebalent dans la cocotte. Couvrez d'eau froide et portez à frémissement. Laissez cuire ainsi 2h30 (à 85-90°C). Coupez le feu et laissez refroidir dans l'eau. Gardez-les 2 jours minimum et jusqu'à 2 ans avant de les ouvrir...

Mes Conseils...

- *Le plus efficace pour mélanger intimement est d'y aller avec les mains... Dans ce cas, j'enfile des gants de chirurgien !*

LE PETIT TRUC EN PLUS D'YVES : gardez un peu de gorge pour la hacher après les grives, de façon à vider complètement le hachoir de la chair des grives. Elle est plus précieuse que la gorge de porc !

POUR 8 PERSONNES
PRÉPARATION 5 MIN
CUISSON 2 À 3 MIN

LES MOULES PESQUIÈRE
DE JACQUES

2kg de moules
3 tomates
1 gros oignon blanc
1 petit poivron vert
50cl d'huile d'olive
20cl de vinaigre de vin
Sel
Poivre

Qu'est-ce que c'est que ça les moules « pesquière » ? C'est tout simplement le nom du restaurant qu'a tenu Jacques pendant de longues années à Saint-Tropez, aujourd'hui dirigé par sa fille et où l'un de ses cuisiniers a mis au point cette recette. Devenues l'étendard du restaurant, ces moules fraîches, juste arrosées d'une sorte de gaspacho, sont assurément le hit de votre été !

Nettoyez les moules et jetez celles qui restent ouvertes. Placez-les dans une cocotte, ajoutez un verre d'eau, couvrez et portez sur feu vif. Comptez 2 à 3 min. Si elles sont toutes bien ouvertes, retirez du feu et laissez refroidir.

Pendant ce temps, coupez les tomates, l'oignon et le poivron en tous petits dés. Salez et poivrez généreusement, ajoutez l'huile d'olive et le vinaigre.

Une fois les moules refroidies, retirez les coquilles vides et déposez les coquilles pleines dans les assiettes. Garnissez-les de la préparation aux légumes et servez bien frais.

Jacques reconnaît que cette recette est encore meilleure si vous préparez la « sauce » aux légumes la veille.

Mes Conseils...

- N'hésitez pas à utiliser le mixeur pour une sauce façon gaspacho.
- À vous de choisir vos moules : les bouchots sont plus savoureuses mais les grosses espagnoles sont plus faciles à garnir.

Mes Conseils...

- Inutile de plonger les artichauts dans de l'eau citronnée car ils vont mijoter et se colorer ensuite.
- Voici quelques livres de Guy : Petites leçons de cuisine en Provence, paru chez Larousse
Le Grand Livre de la cuisine provençale, paru chez Marabout, une mine d'infos et de recettes provençales.

POUR 6 PERSONNES
PRÉPARATION 20 MIN
CUISSON 3H30
REPOS 1 NUIT

CARBONADE D'AGNEAU
AUX LÉGUMES DE GUY GEDDA

3 belles tranches de gigot d'agneau de 350g chacune avec os, soit 4cm d'épaisseur
8 gousses d'ail
200g de petit salé (poitrine salée bien affinée)
2 c. à s. d'huile d'olive ou d'huile de pépins de raisin
250g de haricots blancs dégrainés
250g de petits oignons grelots (ou échalotes)
3 oignons
50cl de vin blanc de Provence
5 carottes
1 bouquet garni fait avec 1 branchette de romarin, 3 tiges de persil avec leurs feuilles et du laurier
3 tomates ou 1,5 boîtes de tomates pelées ou concassées
3 branches de céleri
500g de tout jeunes cardons
2 c. à c. rases de sel gros
6 artichauts
Sel
Poivre

Cette carbonade est bien éloignée du traditionnel ragoût flamand à base de bière. Elle s'apparente plutôt à un navarin et tirerait son nom des charbons sur lesquels les mariniers du Rhône la faisaient cuire. C'est ce qu'explique Guy Gedda dans l'un de ses livres sur la cuisine provençale, dont il est assurément l'un des plus savants et des plus généreux ambassadeurs. Sans minimiser son tour de main, Guy reconnaît bien volontiers que la qualité des légumes et de la viande contribue largement à la réussite de ce plat. Mais le secret de la cuisine du Sud n'est-il pas là ?

La veille, épluchez 3 gousses d'ail et coupez-les en deux dans le sens de la longueur. Ôtez le germe. Faites quelques entailles sur le coté des tranches de viande, dans la couenne, et enfoncez-y les demi-gousses d'ail.
Taillez la poitrine salée en lardons et enfoncez 3 lardons dans chaque morceau de viande, côté chair cette fois. Mettez les tranches de gigot dans un plat creux, salez, poivrez et arrosez d'un filet d'huile. Placez au réfrigérateur pour la nuit. Mettez également les haricots secs à tremper pour la nuit.
Le jour même, épluchez les oignons et les oignons grelots. Dans une cocotte, faites bien colorer les tranches de gigot sans matière grasse. Retirez-les délicatement et réservez dans un plat au chaud. Sans rien toucher de la cocotte, faites raidir pendant 5 min le petit salé et ajoutez les oignons émincés. 10 min après, ajoutez les oignons grelots et faites blondir à feu doux. Versez ensuite le vin blanc et remettez la viande dans la cocotte. Augmentez la chaleur. Épluchez l'ail restant en rondelles et les carottes en bâtonnets. Mondez, épépinez et coupez les tomates grossièrement. Nettoyez les branches de céleri et le cardon, coupez-les en morceaux de 3cm. Dès que le vin blanc a réduit d'une bonne moitié, ajoutez les haricots blancs, le bouquet garni, le gros sel et les légumes et couvrez d'eau aux 3/4. Amenez à ébullition, écumez. Laissez cuire 2h30 à feu doux. Couvrez et n'y touchez plus. Pendant ce temps, tournez les fonds d'artichauts et ajoutez-les dans la cocotte. Poivrez. Ajoutez-les et laissez cuire encore 30 min, puis rectifiez l'assaisonnement.

PRÉPARATION 10 MIN
CUISSON 5 À 10 MIN

LES PATIENCES FRAXINOISES
DE CHRISTIAN

- 300 g de sucre
- 2 oeufs
- 10 cl d'eau
- 12 cl d'eau de fleur d'oranger
- 330 g de farine

L'histoire qui accompagne la naissance de ce petit biscuit dans le village de la Garde Freinet est discutée, mais il est certain qu'il est né ici. Certain également que Christian, pâtissier de son état, est l'unique dépositaire de la recette originelle, mise au point il y a plus d'un siècle par un pâtissier du village. Christian avait à cœur de participer à l'émission dans l'espoir d'éviter à cette délicate pâtisserie de tomber dans l'oubli, les seuls clients qui lui réclament des patiences étant des personnes âgées. J'ai toujours pensé que la gourmandise des anciens nous sauverait…

Faites blanchir le sucre et les œufs au batteur, jusqu'à ce que la préparation mousse.

Ajoutez l'eau et l'eau de fleur d'oranger. Ajoutez ensuite la farine en mélangeant à la spatule.

Préchauffez le four à 250 °C (th. 8) en chaleur statique. Avec une poche à douille, dressez des petits disques sur une plaque à pâtisserie et enfournez pendant 5 à 10 min en fonction des fours — dans le four ménager de Christian, elles étaient cuites en 5 min, mais dans son four professionnel, il lui faut généralement 10 min.

Mes Conseils…

- Arrêtez la cuisson quand les bords sont dorés et le cœur des patiences encore blanc.

POUR 10 PERSONNES
PRÉPARATION 10 MIN
CUISSON 30 MIN

L'AMANDINE
DE CHRISTIAN

2 abaisses de feuilletage de 250 g chacune
1 c. à s. de confiture de fraise
65 g de beurre
65 g de sucre semoule
1 c. à s. de miel liquide
65 g d'amandes effilées

Un petit plus que Christian nous a offert pour le thé, avant d'entamer la fabrication des traditionnelles patiences fraxinoises (voir p. 311). Pas vraiment terroir cette amandine, mais tellement craquante que je n'ai pas eu le cœur de garder la recette pour moi! N'hésitez pas à ajouter une couche légère de crème d'amande sur la confiture.

Préchauffez le four à 220 °C (th. 7). Étalez finement le feuilletage. Posez les abaisses de feuilletage sur une plaque de cuisson recouverte de papier cuisson. Couvrez-les d'une plaque légère pour éviter qu'elles ne gonflent.
Enfournez environ 10 à 12 min. À la sortie du four, faites glisser les pâtes hors des plaques et laissez-les refroidir. Remplacez-les par les amandes effilées. Laissez cuire 5 min à 220 °C (th. 7) pour qu'elles dorent.
Une fois que le feuilletage est à température ambiante, étalez la confiture de fraise sur la première pâte et recouvrez-la de la seconde.
Faites ensuite cuire le beurre, le sucre et le miel dans une casserole à feu doux en remuant sans cesse avec un fouet. Quand le mélange est fondu et homogène, laissez-le tiédir. Hors du feu, ajoutez les amandes effilées et mélangez le tout.
Étalez le mélange obtenu avec une spatule lisse sur le dessus des pâtes feuilletées. Remettez au four pendant 7 min pour faire caraméliser le dessus.

Mes Conseils...

• J'ai adapté les temps de cuisson à nos fours ménagers, plus puissants que les fours professionnels. • Si vous n'avez pas de plaques pour couvrir les pâtes, piquez-les à la fourchette avant de les enfourner. • Christian remplace la moitié du miel par du glucose, un anti-cristallisant qui n'est toutefois pas indispensable.

POUR 4 PERSONNES
PRÉPARATION 15 MIN
CUISSON 8 MIN

LA SALADE DE SUPIONS
ET ARTICHAUTS VIOLETS D'ALEX

- 8 artichauts violets
- 300 g de supions, ou petites seiches, nettoyés par le poissonnier
- Le jus de 1 citron
- 5 c. à s. d'huile d'olive
- 1/2 verre de vin blanc
- Thym citron
- Copeaux de parmesan
- Sel
- Poivre

Son métier de professeur d'université n'empêche pas Alex d'écrire des livres sur sa passion : la cuisine provençale. Évidemment, c'est sous l'angle historique et culturel qu'Alex aborde les traditions culinaires de son pays. En le voyant choisir et préparer ses produits, j'ai envié son sens aristocratique et proprement provençal de la cuisine. La qualité des aliments et le soin apporté à leur culture imposant au cuisinier de «faire le moins». Et comme vous le savez, le plus simple en cuisine n'est pas le plus facile. Laissons-nous guider par ce mariage merveilleux de la seiche et des artichauts violets que la nature nous offre au printemps.

Parez les artichauts : coupez les tiges à ras du capitule pour laisser apparaître le fond. Retirez les feuilles extérieures les plus foncées. Coupez les pointes puis taillez les artichauds en tranches fines de 3 mm d'épaisseur. Citronnez-les immédiatement. Versez 2 c. à s. d'huile d'olive dans une poêle et faites fondre les artichauts 3 min en diminuant le feu quand ils commencent à grésiller. Ajoutez alors le vin blanc, salez légèrement et laissez évaporer. Mettez les artichauts dans un plat et tenez-les au chaud dans le four à 70 °C (th. 2).

Taillez les seiches en lanières de 0,5 cm de large et détachez les tentacules les unes des autres. Versez 3 c. à s. d'huile d'olive dans la poêle non lavée, ajoutez les seiches, le thym citron, mélangez et laissez cuire 5 min en remuant souvent à feu doux. Arrêtez la cuisson quand la seiche devient rose et blanchit légèrement.

Placez les artichauts dans le fond des assiettes puis couvrez avec les seiches. Poivrez, parsemez de copeaux de parmesan et servez tiède.

Mes Conseils...

• Ne retirez pas la peau de la seiche, elle donne du goût et une jolie couleur rose. • Cette recette peut également se faire avec des calamars.

POUR 10 PERSONNES
PRÉPARATION 5 MIN
CUISSON 3 À 5 MIN

LA SOCCA
DE GUY

500g de farine de pois chiche
4 c. à c. de sel fin
8 c. à s. d'huile d'olive
Poivre

À vous qui connaissez déjà les panisses marseillaises (p. 296), voici la version rôtie au four et certainement plus ancienne de ce casse-croûte du pauvre. Guy mit en route pour l'occasion de notre banquet le très vieux four à pain du merveilleux village de Peillon, au dessus de Nice. Il va de soi que la saveur de la fumée donne à cette socca tout son caractère. Il n'en reste pas moins qu'avec un petit coup de gril dans un four bien chaud, ça marche aussi!

Préchauffez le four à pain pour avoir de belles braises. Versez la farine dans 1 l d'eau, ajoutez le sel, l'huile d'olive et remuez vivement au fouet pour éviter les grumeaux. Versez une bonne giclée d'huile sur une plaque en cuivre étamé et placez-la 5 min dans le four pour qu'elle soit bien chaude. Retirez-la en évitant de vous brûler, inclinez-la et versez des louches de pâtes dessus par le haut afin de bien la répartir.

Remettez au four et laissez cuire 3 à 5 min selon l'épaisseur de la socca et la chaleur du four, en la faisant tourner régulièrement. Sortez-la du four et découpez-la immédiatement en la déchiquetant pour obtenir des « lambeaux » inégaux. Poivrez généreusement. Mangez brûlant!

Le village de Peillon, perché sur un éperon rocheux. C'est ici que s'est tenu notre banquet.

POUR 6 PERSONNES
PRÉPARATION 15 MIN
CUISSON 30 MIN

LES FLEURS DE COURGETTES FARCIES
DE JEAN-CLAUDE

18 fleurs de courgettes
2 courgettes trompettes
1/2 baguette de la veille
1 verre de lait
1/2 bouquet de persil
10 cl d'huile d'olive
1 gousse d'ail
300 g de sauté de veau
120 g de parmesan
1/2 bouquet de basilic
3 oeufs

POUR SERVIR
Coulis de tomate maison

Autre passionné de cuisine à exercer un métier bien sérieux (avocat), Jean-Claude nourrit ses 6 enfants et sa tribu de petits-enfants à chaque fête de famille. Sa femme Laurence œuvre aux arts de la table qu'elle maîtrise avec brio pendant que son chef de mari s'active, parfois pendant plus de 48 h, à fignoler les plats de son enfance qu'il sert à l'assiette. C'est avec émotion qu'il me montra le hachoir de sa grand-mère, couteau arrondi prolongé de deux manches en bois assombri par les années, sans lequel il n'envisage pas de préparer cette recette…

Préparez d'abord la farce en coupant le pain et en le couvrant de lait. Faites cuire les courgettes entières à la vapeur, puis hachez-les. Lavez et séchez le persil. Faites chauffer à feu moyen 1 c. à s. d'huile d'olive avec une gousse d'ail écrasée. Ajoutez la viande, laissez cuire sans coloration pendant 3 min puis couvrez. Laissez cuire 7 min supplémentaires. La viande doit rester bien rosée. Réservez et jetez l'ail.
Préchauffez le four à 180 °C (th. 6). Râpez le parmesan. Ciselez le basilic. Hachez la viande. Jean-Claude le fait au couteau comme autrefois mais vous pouvez le faire par à-coups, au robot. Ajoutez les herbes ciselées, le parmesan, les œufs, la courgette et le pain égoutté. Ajoutez le jus de cuisson, salez très peu. Farcissez délicatement les fleurs et déposez-les tête-bêche dans un plat huilé. Faites cuire 20 min. Servez tiède avec le coulis de tomate.

Mes Conseils…

• Les fleurs de courgettes sont très fragiles. Pour les conserver, placez-les délicatement dans un Tupperware®, couvrez-les d'un papier absorbant humide et fermez bien. Vous ne pourrez les garder plus de 24 h.
• Jean-Claude ajoute des carottes et du céleri dans son coulis. C'est délicieux !

LA TOURTE DE BLETTES
AUX RAISINS ET PIGNONS D'ARLETTE

POUR 12 PERSONNES
PRÉPARATION 15 MIN
CUISSON 35 MIN

1 belle botte de blettes
50 g de raisins secs
1/2 verre de rhum
3 ou 4 pommes golden selon leur taille
5 c. à s. de sucre
50 g de pignons

POUR LA PÂTE
500 g de farine
1,5 sachets de levure chimique
Le zeste râpé de 1 citron
1 verre de sucre
1/2 verre de lait
1 gros oeuf
4 c. à s. huile d'arachide
100 g de beurre
Sel
SUcre glace

Tarte de Blette – 8 – 10 Personnes –
Pour un Plat à tarte de 35 cm de diamètre, il faut :
PATE – 500 grs de farine Pâtisserie
100 grs de Beurre
1/2 Verre de lait
1 Verre de sucre fin
4 cuillerées d'huile d'arachide
1 oeuf entier (gros)
1 citron Rapé
1 1/2 Paquet levure chimique (Alsa)
FARCE – 1 Paquet de Blette
50 grs – pignons de Pin
50 grs – raisins secs
3 ou 4 pommes
1/2 Verre de sucre fin
1/2 Verre de rhum
Faire une pâte comme une tarte normale, sans trop la travailler – Partager en 2 parties (1 Partie fond 1 partie couvercle) –
PREPARATION de la FARCE
Faire blancher rapidement (5 minute) la blette (feuilles et côtes) sans sel, égoutter et hacher grossièrement. Faire tremper les raisins dans le Rhum, cuire les pommes 10 minutes, coupés en dés moyens. Mettre le tout dans un saladier et bien mélanger – (blette, pommes, Raisins avec Rhum, pignons)

Un classique du pays niçois dont l'origine remonterait au Moyen Âge. Après avoir consacré un livre aux légumes en dessert, cette tarte est un de mes classiques !

Couvrez les raisins de rhum. Préchauffez le four à 210 °C (th. 7). Préparez la pâte : dans un saladier, versez la farine et faites un puits au milieu. Ajoutez-y la levure, le zeste, le sucre, le lait, le sel et cassez l'œuf à l'intérieur. Versez l'huile et remuez à la fourchette. Incorporez ensuite le beurre fondu et mélangez jusqu'à ce que la pâte soit homogène, mais ne la travaillez pas trop. Laissez-la reposer le temps de préparer la farce.

Coupez la partie blanche des blettes à ras des feuilles vertes. Coupez les feuilles et les côtes en deux ou trois et plongez-les dans une eau bouillante à peine salée. Comptez 5 min de cuisson à partir de la reprise de l'ébullition. Égouttez-les, rincez-les à l'eau froide et égouttez-les à fond dans vos mains. Hachez-les au couteau.

Pelez et coupez les pommes en dés. Placez-les dans une casserole, ajoutez 2 c. à s. de sucre, mélangez et faites fondre sur le feu 10 min en remuant souvent. Les pommes ne doivent pas trop s'écraser. Mélangez les blettes, les pignons, les raisins et les pommes. Ajoutez 3 c. à s. de sucre, remuez et réservez.

Séparez la pâte en deux morceaux et étalez-les pour qu'ils puissent couvrir le fond d'une plaque à pâtisserie standard. Placez la pâte sur la plaque et coupez ce qui déborde. Étalez la farce, recouvrez avec l'autre abaisse de pâte et rentrez les bords à l'intérieur du plat. Piquez de coups de fourchette toute la surface et enfournez. Laissez cuire 20 min. Saupoudrez éventuellement de sucre glace.

Servez tiède ou froid, mais pas réfrigéré !

Mes Conseils...

• Ne chargez pas trop en rhum pour bien sentir le goût de chaque ingrédient. Et choisissez de bons citrons non traités.

MONACO

Le marché de la Condamine

C'est peu dire que l'on évoque rarement Monaco et son célèbre rocher au travers de sa gastronomie et son terroir. À tort ! C'est pour vous en donner la preuve que j'ai sillonné la principauté et ses environs, pour recueillir les recettes traditionnelles monégasques. La plus emblématique est certainement celle des barbaguans, ces petits raviolis frits aux herbes. Francine m'avait conseillé de faire mes achats sur le petit marché de la Condamine. Il est à l'image de Monaco : un décor d'opérette qui recèle des trésors. C'est une véritable institution sur le Rocher et le passage obligé des Monégasques les plus enracinés. Pour me guider dans ce dédale de couleurs et d'odeurs à vous en faire perdre la tête, je suis accompagnée par Franck Cerutti, Chef du restaurant Louis XV-Alain Ducasse et enfant du pays. Le marché, il le connaît par cœur et n'a de cesse de venir y puiser de l'inspiration pour faire entrer les spécialités du terroir dans la cuisine de son palace. Lorsqu'on voit la qualité des produits et le savoir-faire des commerçants, on comprend aisément pourquoi.

BAYARD
Pomme de Terre
au Goût du Santerre

POUR 3 PERSONNES
PRÉPARATION 20 MIN
CUISSON 1 H 15

LE STOCKFISH D'EDMOND

2 filets de stockfish réhydratés
Les boyaux du stockfish réhydratés
1 blanc de poireau
3 gros oignons
20 cl d'huile d'olive
1 poivron rouge
1 petit bol d'olives noires
1 bouquet garni
1 c. à c. de curry
2 gousses d'ail
1 kg de calamars ou de seiches
20 cl de vin blanc sec
50 cl de sauce tomate maison
2 doses de safran
6 pommes de terre moyennes avec la peau
Sel
Poivre

LE PETIT TRUC EN PLUS D'EDMOND : Relevez le plat en l'arrosant d'huile d'olive, de citron et de persil.

Ah! le stockfish d'Edmond! Commençons par le personnage : Edmond Putetto a travaillé toute sa vie dans les cuisines des palaces monégasques, jusqu'à devenir le chef de l'Hôtel de Paris, avant l'arrivée d'Alain Ducasse. Se promener avec lui à Monaco c'est avoir l'assurance d'être arrêté tous les 100 mètres par les admirateurs du « Chef Putetto ». Autant dire qu'il connaît le répertoire monégasque comme sa poche! Et au rang des spécialités locales, le stockfish tient le haut du pavé! Le stockfish est un poisson blanc (églefin, cabillaud, lingue ou lieu) suspendu par la queue à l'air libre pendant 5 mois au moins avant d'être affiné en caves aérées. Un traitement qui lui fait perdre 70 % de son poids en eau et permet une conservation presqu'infinie. Ce sont les navires marchands qui ont laissé sur la Côte d'Azur la trace du stockfish, pêché depuis des siècles dans les mers du nord. Ils venaient troquer ce poisson miracle – qui permet de faire carême toute l'année – contre l'huile d'olive de la région. Autant vous prévenir, la réhydratation du poisson prend une semaine. Laissez faire le poissonnier!

Émincez finement et rincez le poireau. Pelez et émincez finement les oignons. Placez le tout dans une cocotte, ajoutez 10 cl d'huile d'olive. Laissez fondre sans faire colorer. Lavez, épépinez le poivron, coupez-le en morceaux et ajoutez-le avec les olives et le bouquet garni. Retirez la peau du poisson. Coupez la chair en dés et ajoutez-la aux légumes fondus. Saupoudrez de curry et laissez mijoter 10 min à couvert. Hachez finement l'ail. Versez-le dans une petite casserole avec 5 cl d'huile d'olive et laissez compoter sans blondir à feu doux. Nettoyez les calamars, coupez les corps et les tentacules en morceaux. Plongez-les dans une casserole d'eau froide légèrement salée et portez à ébullition juste pour les blanchir. Égouttez-les dès que l'eau bout.

Faites revenir les calamars dans 5 cl d'huile d'olive, avec les boyaux coupés en dés. Quand l'eau s'est évaporée, ajoutez le vin blanc et laissez évaporer 5 min. Versez sur le stockfish. Incorporez la sauce tomate. Mélangez, salez, poivrez et ajoutez le safran. Laissez mijoter 30 min, en ajoutant au bout de 15 min les pommes de terre coupées en gros dés.

Mes Conseils...

• *Les stockfishs s'achètent prêts à l'emploi dans le sud, mais si vous voulez les préparer à la maison, comptez 10 jours de trempage en changeant l'eau tous les jours.*

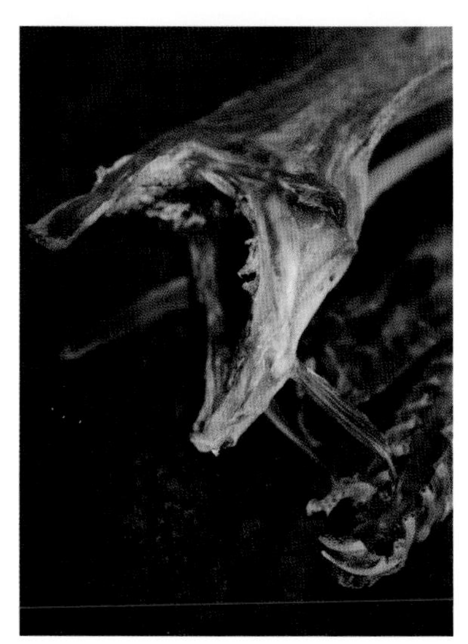

POUR 40 PIÈCES
PRÉPARATION 30 MIN
CUISSON 5 MIN

LES BARBAGUANS
DE FRANCINE

POUR LA PÂTE
200g de farine
2 c. à s. d'huile d'olive
1 pointe de couteau de sel

POUR LA FARCE
2 belles bottes de blettes, si possible jeunes, vert tendre, soit environ 300g de feuilles
2 tiges d'oignons frais ou cébettes
1 gousse d'ail
2 oeufs
100g de riz long déjà cuit
30g de parmesan
2 c. à s. d'huile d'olive
4 brins de persil plat
100g de jambon blanc haché
Sel
Poivre.

LE PETIT TRUC EN PLUS DE FRANCINE : en saison, Francine ajoute de la bourrache à la farce. Elle conseille également de blanchir les blettes la veille et de les laisser égoutter toute la nuit pour qu'elles soient bien sèches.

Pour la pâte : chauffez 50cl d'eau. Coupez le feu quand l'eau est chaude mais que vous pouvez y plonger rapidement le doigt. Placez la farine sur le plan de travail, formez un puits, ajoutez l'huile et salez. Versez l'eau progressivement en remuant. Malaxez tous ces ingrédients pour former une pâte souple mais pas collante : ne cherchez pas à versez toute l'eau, ou rajoutez en si elle est trop sèche. Filmez-la et laissez-la reposer.

Pour la farce : retirez les côtes des blettes. Plongez les feuilles dans une casserole d'eau bouillante légèrement salée. Dès que l'ébullition reprend, égouttez-les. Essorez-les complètement. Faites couler de l'eau froide pour arrêter leur cuisson, puis essorez-les bien en les pressant dans une passoire. Hachez-les très finement au couteau. Ciselez très finement l'oignon frais et hachez l'ail, ajoutez les œufs, les blettes, le riz, le parmesan râpé, l'huile ainsi que le persil et le jambon.

À l'aide du rouleau à pâtisserie, étalez la pâte très finement en essayant de former un rectangle. Déposez la farce en petit tas avec une cuillère à café à 5mm de l'un des bords de la pâte, recouvrez les tas de farce avec la bande de pâte vierge. Passez la roulette pour couper les ravioli.

Faites chauffer l'huile d'arachide à 175°C pendant 5 à 6 min. L'huile doit être très chaude pour que les barbaguans ne prennent pas le gras. Déposez-les sur un papier absorbant avant de les servir, bien chaud.

Mes Conseils...

• Préférez les blettes les moins foncées et les feuilles les plus tendres : ce sont les plus jeunes et les plus adaptées à cette préparation ; sinon, faites-les cuire 5 min à l'eau bouillante.

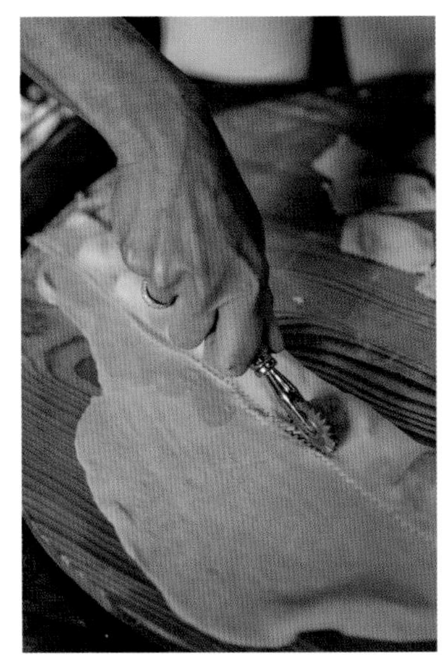

POUR 10 FOUGASSES
PRÉPARATION 15 MIN
CUISSON 15 À 20 MIN
REPOS 12 À 24 H

LA FOUGASSE MONÉGASQUE DE GEORGETTE

- 500g de farine T55
- 2 c. à s. de levain ou 10g de levure fraîche en cube
- 200g de sucre
- 200g de beurre fondu
- 10cl d'huile de tournesol
- 5cl d'eau de fleur d'oranger
- 2 c. à s. de raisins blonds gonflés au rhum
- 100g de poudre d'amande dorée
- 10cl de vin blanc sec
- 5cl d'anisette
- Le zeste de 1/2 citron râpé
- 1 c. à s. de grains d'anis
- 5 étoiles de badiane mixées
- 5g de sel
- Amandes effilées
- Pignons
- Grains d'anis enrobés de sucre
- Dragées
- Sucre glace

Bien que typiquement monégasque, cette recette est demeurée assez confidentielle (une façon de dire que je ne la connaissais pas malgré mon ascendance monégasque). Cette fougasse n'a pas grand-chose à voir avec le pain provençal du même nom, souvent enrichi d'olives; elle s'apparente plutôt à un fin sablé, garni d'amandes et de grains d'anis dragéifiés. Elle est de toutes les fêtes et processions religieuses, nombreuses dans un pays où l'église et l'état ne sont pas séparés; la tradition veut que la fougasse soit déposée au centre de la table familiale pour que l'aîné la casse avec le poing. Le savoir-vivre nous interdisant de désigner le plus âgé de notre banquet, Georgette a opté pour de petites fougasses individuelles!

La veille, mettez la levure dans un saladier assez grand, ajoutez 7cl d'eau tiède et dissolvez à l'aide d'un fouet. Prélevez un peu de farine et mélangez à l'eau pour obtenir une boule assez ferme. Laissez monter 1h. La boule doit doubler de volume. Ajoutez le reste de la farine au levain, le sucre, le beurre par petits morceaux, l'huile, l'eau de fleur d'oranger, les raisins blonds, la poudre d'amande, le vin blanc, l'anisette, le citron, l'anis vert, le sucre, la poudre de badiane et le sel. Pétrissez légèrement et à température douce, afin d'obtenir une pâte très souple. Mettez la pâte en boule et laissez-la reposer 12 à 24 h à température ambiante, à l'abri des courants d'air et du froid.

Le jour même, préchauffez le four à 180°C (th. 6). Formez 10 boules avec la pâte. Étalez la pâte en couche mince à l'aide d'un rouleau à pâtisserie et disposez-la sur une plaque généreusement beurrée. Affinez la pâte à la main, puis couvrez d'amandes effilées et de pignons. Ajoutez une bonne pincée de grains d'anis et une dragée sur chaque fougasse. Faites cuire sans ventilation pendant 15 à 20 min. Soulevez la fougasse avec une spatule pour vérifier la cuisson. Saupoudrez de sucre glace et servez froid.

Mes Conseils...

- Vous pouvez remplacer la levure fraîche par de la levure de bière.

POUR UNE VINGTAINE
DE MIGLIACCI
PRÉPARATION 15 MIN
CUISSON 10 À 15 MIN
REPOS 1 NUIT + 1H30

LES MIGLIACCI
DE CLAUDE

- 20 feuilles de châtaignier séchées
- 1kg de farine
- 4 sachets de levure de boulanger briochin
- 1l de petit lait
- 4 fromages frais de 3 à 4 jours d'affinage, soit environ 600g chacun
- 4 oeufs
- 4 jaunes d'oeufs

J'ignorais complètement l'existence de cette recette malgré de nombreuses vacances passées sur les plages de Corse. Mais la côte et l'intérieur du pays ne semblent parfois pas appartenir à la même île, le tourisme ayant balayé bon nombre de traditions sur le littoral. Il n'en reste pas moins que ces galettes de fromage furent l'une de mes plus belles découvertes lors de mon voyage dans le pays de Corte. C'est dans le four construit par son père au bout du jardin – et avec les pierres de la rivière – que Claude a l'habitude de cuire ses migliacci, ces pains fourrés au fromage cuits sur des feuilles de châtaignier. Selon lui, la recette impose la présence de 4 personnes : une pour verser la pâte, un pour tenir la feuille, une pour enduire la surface d'œuf battu et une pour enfourner. De toutes les façons, les migliacci ne se préparent que pour une belle bande d'amis !

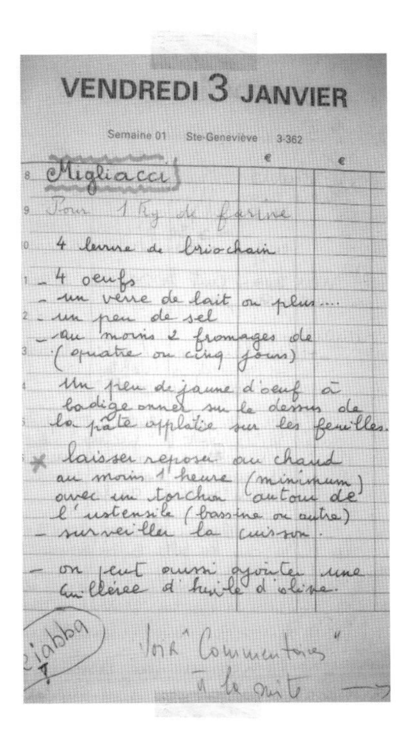
VENDREDI 3 JANVIER

Semaine 01 Ste-Geneviève 3-362

Migliacci

Pour 1 kg de farine

4 levure de briochain

- 4 oeufs
- un verre de lait ou plus....
- un peu de sel
- au moins 2 fromages de (quatre ou cinq jours)

Un peu de jaune d'oeuf à badigeonner sur le dessus de la pâte applatie sur les feuilles.

* laisser reposer au chaud au moins 1 heure (minimum) avec un torchon autour de l'ustensile (bassine ou autre)
- surveiller la cuisson.

- on peut aussi ajouter une cuillèree d'huile d'olive.

Voir "Commentaires" à la suite

La veille, mettez les feuilles de châtaignier dans de l'eau afin de les réhydrater et laissez reposer 1 nuit. Le jour même, mélangez la farine et la levure dans un grand saladier. Ajoutez progressivement le petit lait en remuant à la spatule. Ajoutez 3 fromages égrainés. Mélangez bien en soulevant la pâte. Taillez l'autre fromage en petites lamelles. Ajoutez les œufs dans le saladier. Couvrez d'un linge et laissez reposer dans un endroit chaud pendant 1 h 30. Chauffez le four à pain pendant ce temps-là. Ajoutez 1/2 verre d'eau dans les jaunes d'œufs et mélangez. Croisez 3 feuilles de châtaignier pour former un socle. Versez-y une louche de pâte, déposez 4 lamelles de fromage sur le dessus. Dorez avec le jaune d'œuf et enfournez. Laissez cuire 10 à 15 min selon la chaleur du four. Les galettes doivent être bien dorées et les feuilles presque brûlées. Mangez tiède !

Mes Conseils...

- Il est plus facile d'être 3 ou 4 pour préparer rapidement ces galettes.
- Pour obtenir la bonne texture de pâte, ajoutez les œufs avant d'avoir intégré tout le petit lait puis contrôlez la quantité de petit lait à l'œil.

POUR ENVIRON 8 TOURTES
PRÉPARATION 10 MIN
CUISSON 30 MIN

LES TOURTES AUX HERBES SAUVAGES DE ROSELYNE ET DE NANE

POUR LA GARNITURE
250 g d'herbes sauvages : chicorée, feuilles de coquelicot, pissenlit, blettes sauvages, poireaux sauvages, fanes de carottes sauvages, langue de bœuf, oreilles de chèvre, menthe aquatique, pousses de fenouil, orties…
3 oignons blancs ou rouges
25 cl d'huile d'olive
Sel
Poivre

POUR LA PÂTE
500 g de farine
125 g de saindoux ou de beurre
15 à 20 cl d'eau chaude
Sel

Ces tourtes, préparées par deux fines pâtissières, sont devenues un de mes classiques. Je les prépare avec toutes les herbes que j'ai sous la main…

Lavez les herbes et coupez les grosses tiges ou les racines. Séchez-les et hachez-les au couteau très finement. Pelez et hachez finement les oignons de la même façon, puis mélangez-les aux herbes. Ajoutez l'huile d'olive, salez et poivrez généreusement. Mélangez à nouveau.

Préparez ensuite la pâte dans un grand saladier. Versez la farine, ajoutez du sel, le saindoux et mélangez pour obtenir une pâte sableuse. Ajoutez l'eau progressivement et travaillez la pâte 1 à 2 min sur le plan de travail fariné. Prélevez 100 g de pâte environ et étalez cette boule sur le plan de travail. Préchauffez le four à 200 °C (th. 7). Déposez une bonne poignée d'herbes sur la moitié basse de la pâte, refermez la partie haute pour former un chausson. Soudez les bords en appuyant avec les dents d'une fourchette. Déposez sur la plaque du four. Quand toutes les tourtes sont prêtes, enfournez et laissez cuire 30 min.

Mangez tiède ou à température ambiante.

Mes Conseils…

- Sortez le saindoux plusieurs heures à l'avance du réfrigérateur pour qu'il soit bien mou.

Les eaux cristallines de la vallée de la Restonica (Corte).

Un pique nique chez Marco.

La boutique de fromages
et de charcuteries
de Marco à Corte.
Figatelli, lonzo et bruccio
maison. Incomparables !

POUR 6 PERSONNES
PRÉPARATION 15 MIN
CUISSON 2 H 15

LE CABRI À LA STRETTA DE SUZANNE

1/2 cabri de 40 jours coupé en morceaux, sans les gigots
3 c. à s. d'huile de tournesol
1 petite tête d'ail
2 bonnes c. à s. de concentré de tomate
50 cl de vin rouge corsé type patrimonio
Sel
Poivre

POUR LA PULENDA
1 kg de farine de châtaigne
1 l d'eau
Sel

Le cabri – le petit de la chèvre pour les plus citadins d'entre nous... – est une des viandes les plus appréciées de Corse. Cuisinée rôtie et nature comme un agneau, ou en cocotte comme le fait Suzanne, cette viande révèle des saveurs de maquis et une texture tendre proche de l'agneau de lait. Il est plus facile de se procurer du cabri au printemps mais dans tous les cas, prenez soin de le commander chez votre boucher.

Faites rissoler les morceaux de cabri dans une cocotte dans de l'huile chaude. Quand ils sont bien dorés, retirez-les et conservez la graisse rendue. Ajoutez-y les gousses d'ail écrasées dans leur peau. Faites-les revenir 2 min. Ajoutez ensuite le concentré de tomate et le vin, salez et poivrez généreusement puis ajoutez enfin le cabri. Remuez et laissez cuire 2 h à découvert, à feu moyen. Évitez de remuer pour que la viande ne se détache pas des os.

Pendant ce temps, préparez la pulenda de châtaignes. Tamisez la farine sur un grand torchon lavé sans assouplissant. Portez l'eau salée à ébullition, intégrez la farine petit à petit sans cesser de tourner. Traditionnellement, la pulenda est tournée à l'aide d'un bâton et non d'une spatule. Quand toute la farine est absorbée, retirez la casserole du feu, posez-la par terre pour avoir une meilleure prise et remuez la pâte vigoureusement. Déposez la boule de pâte sur le torchon fariné, allongez-la comme un pain et enroulez le torchon autour pour la conserver. Servez le cabri avec des tranches de pulenda coupées au fil blanc comme le fait Suzanne !

Mes Conseils...

• Vous pouvez remplacer le cabri par de l'agneau de lait. • Utilisez un bâton bien solide pour tourner la pulenda, qui est très résistante. Prévoyez aussi 4 gros bras : 2 pour tourner et 2 pour tenir la casserole...

CHAPITRE 1

GRAND-OUEST

CHAPITRE 2

NORD-EST

CHAPITRE 3

CENTRE-EST

TABLE DES MATIÈRES

CHAPITRE 4

SUD-OUEST

CHAPITRE 5

SUD-EST

TABLE DES MATIÈRES

INDEX PAR TYPE DE PLATS

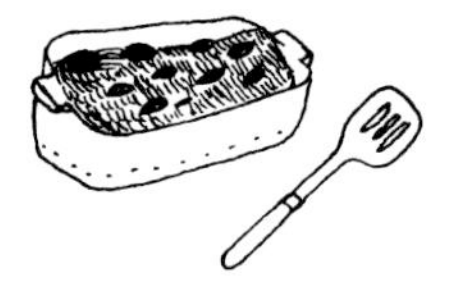

VOLAILLE

VIANDES

POISSONS, COQUILLAGES ET CRUSTACÉS

LÉGUMES ET ACCOMPAGNEMENTS

TARTES SALÉES ET TOURTES

SOUPES, POTÉES ET BOUILLONS

FROMAGES

VIANDE ET VOLAILLE

POISSONS, COQUILLAGE ET CRUSTACÉ

FRUITS ET LÉGUMES

FROMAGES ET LAITAGES

ÉPICERIE

PAYS D'AUGE

LA FERME DE LA VALLÉE
Etienne et Marie-Thérèse Peltier
Route de Beaumont en Auge
14130 Reux

BOULANGERIE-PÂTISSERIE
Philippe Gouley
8, rue de Poissy
78100 Saint-Germain-en-Laye

PAYS DE SAINT-MALO

LE MARCHÉ AUX HUÎTRES
Port de la Houle
35260 Cancale

LA CUISINE CORSAIRE, ÉCOLE
Place Saint-Méen
35260 Cancale
Tél. 02.99.89.63.86

MALOUINIÈRE DE LA VILLE BAGUE
35350 Saint-Coulomb
Tél. 02.99.89.00.87
www.la-ville-bague.com

NOIRMOUTIER

LOUIS BOUTOLLEAU, SAUNIER
Rue de Noirmoutier
85680 La Guérinière

ILE DE RÉ

CRÈMERIE MARIANNE
2, rue du Marché
17630 La Flotte
Tél. 05.46.09.54.45

RESTAURANT LE CHAT BOTTÉ
DANIEL MASSÉ
20, rue de la Mairie
17590 Saint-Clément-des-Baleines
Tél. 05.46.29.42.09
www.restaurant-lechatbotte.com

LES HUÎTRES DE TROUSSE CHEMISE
FRANCK MOREAU
Route de la Levée Verte
17880 Les-Portes-en-Ré

ANJOU

CHAMBRE ET TABLE D'HÔTE
LE MANOIR DE LA TÊTE ROUGE,
SOPHIE REYNOUARD
3, place Jules Raimbault
49260 Le-Puy-Notre-Dame
Tél. 02.41.38.76.43
www.manoirdelateterouge.com

ATELIER DE POTERIE LA ROSE BLEU
KARIN CHOPIN-LOLLIEROU
21, rue de la Croix de Fer
49700 Doué-la-Fontaine
Tél./fax. 02.41.59.86.83
www.rosebleue.fr

RESTAURANT LES CANONS
GAËTAN LEVEUGLE
2, place Saint-Pierre
49400 Saumur
Tél. 02.41.38.92.97
www.lescanons.fr

TOURAINE

CHRISTINE BOISQUILLON
ÉLEVEUSE DE GÉLINE
Le Plessis
37800 Sainte-Maure-De-Touraine

RESTAURANT LE BOUT DU MONDE
CHRISTOPHE ROUBLIN
Le Bourg
37510 Berthenay
Tél. 02.47.43.51.50
www.restaurantleboutdumonde.com

BOULANGERIE DE LIGNIÈRES
DOMINIQUE BRIQUET
11, rue de Rigny Usse
37130 Lignières-de-Touraine
Tél. 02.47.96.85.41

PARIS

FROMAGERIE QUATREHOMME
62, rue de Sèvres
75007 Paris
Tél. 01.47.34.33.45

MARCHÉ SUR L'EAU
116, avenue Simon Bolivar
757019 Paris
www.marchesurleau.com

NICOMIEL, NICOLAS GÉANT
Tél. 06.26.88.20.55
Infos sur www.nicomiel.com

RESTAURANT LA TOUR D'ARGENT
LAURENT DELABRE
15, quai de la Tournelle
75015 Paris
Tél. 01.43.54.23.31
www.latourdargent.com

RESTAURANT CHEZ DENISE
BERNARD NOËL
5, rue Prouvaires
75001 Paris
Tél. 01.42.36.21.82

BAIE DE SOMME

RESTAURANT DES JARDINS DE VALLOIRES
LUDOVIC DUPONT
Jardins de Valloires
80120 Argoules
Tél. 03.22.23.53.55

PAYS DE FLANDRE

LE JARDIN DU MONT DES RÉCOLLETS
EMMANUEL DE QUILLACQ
ET BRUNO CARON
1936, route de Steenvoorde
59670 Cassel
Tél. 03.28.40.59.29

RESTAURANT AU ROI
DU POT'JEVLEESCH
GEORGETTE DUVERLIE
31, rue du Mont des Cats
59270 Godewaersvelde
Tél. 03.28.42.52.56

Carnet d'adresses

Alsace bossue

Restaurant le Charaban
Denis Juving
40, rue Principale
67430 Voellerdingen

Le Moulin de Willer
Roger et Ariane Roesel
5, rue du Meunier
67260 Harskirchen

Langres

L'Auberge des voiliers
Jeanne et Joël Bourrier
Lac de la Liez
1, rue des Voiliers
52200 Langres
Tél. 03.25.87.05.74

Cantal

SARL La Lentille Blonde
de Saint-Flour
Village d'entreprises
ZA du Rozier-Coren
15100 Saint-Flour
Tél. 04.71.60.51.57

Ardèche

Poterie d'Antraigues
Fanny Mariette
Placette Jean Volane
07530 Antraigues-sur-Volane
www.fannymariette.com

SARL La petite châtaigne
Famille Duplan
Bise
07530 Genestelle
Tél. 04.75.38.74.47
www.lapetitechataigne.com

Le Salon d'Anne-Sophie
Christiane et Anne-Sophie Brioude
Place des Cocons
07200 Aubenas
Tél. 04.75.39.74.13

Vercors

La Ferme de Férie
Nicolas et Laure Idelon
38160 Saint-Romans
Tél. 06.22.82.82.37

Massif des Bauges

Ferme de la Correrie
Philipe et Sylvie Ginollin
Producteurs de tome des Bauges
73340 Aillon-le-Jeune
Tél. 04.79.54.64.70

Jura

Chambre d'hôtes Le Pré Oudot
Laurence et Emile Péquinet
Le Pré Oudot
25390 Fournets - Luisans
Tél. 03.81.67.02.31
www.preoudot.typepad.com

Chambre d'hôtes Le Crêt l'Agneau
Liliane et Yves Jacquet Pierroulet
Le Crêt l'Agneau
25650 La Longeville
Tél. 03.81.38.12.51
www.lecret-lagneau.com

Pays de l'Albigeois

Domaine viticole de la Ramaye
Sylviane et Michel Issaly
Sainte Cécile d'Avès
81600 Gaillac
Tél. 05.63.57.06.64
www.michelissaly.com

Périgord noir

Le Foie gras Crouzel
Roger Crouzel
Le Temple
24590 Salignac
Tél. 05.53.28.80.83
www.crouzel.com

Périgord vert

Coutellerie de Nontron
33, rue Carnot
24300 Nontron
www.couteaux-nontron.fr

Élevage de dindons
Marinette et Denis Vinet
La Chapelotte 24360 Soudat
Tél. 05.53.60.52.25

Saint-Emillionnais

Boutique Les Macarons
de Saint-Emilion, Nadia Fermigier
9, rue Guadet
33330 Saint-Émilion
Tél. 05.57.24.72.33
www.macarons-saint-emilion.fr

Château Cadet Bon
1, Le Cadet
33330 Saint-Émilion
www.cadet-bon.com

Maison Galhaud
Le Manoir
1, place du Chapitre
et des Jacobins
33330 Saint-Émilion
www.maisaon-galhaud.fr

Château Pertignas
33420 Saint-Vincent De Pertignas
www.chateau-pertignas.com
Tél. 06.08.26.85.38

BLAYE

Restaurant La Tupina
Jean-Pierre Xiradakis
6, rue Porte de la Monnaie
33800 Bordeaux
Tél. 05.56.91.56.37

Table d'hôte Château Nodot
2, Ravion
33920 Saint-Christoly-de-Blaye

Thierry et France Delottier
La Bergerie du Marais
33390 Anglade

PAYS BASQUE

Charcuterie Pierre Oteiza
10, rue de la République
64500 Saint-Jean-de-Luz
Tél. 05.59.51.94.55

VALLÉE D'AURE

Marie-Claude et Denis Arberet
éleveurs de porcs noirs de Bigorre
Route de Castillon
65130 Bonnemazon
Tél. 05.62.39.13.79

Chambre d'hôtes La Couette de Biéou
Marie-Thérèse et Bernard Moreilhon
65170 Camparan
Tél. 05.62.39.41.10
www.couette-de-bieou.com

CAMARGUE

Gîte Mas des Grandes Cabanes du Vaccarès
Florence Pidou-Clauzel
13460 Les-Saintes-Maries-de-la-Mer
Tél. 06.03.67.72.80
www.masdesgrandescabanes.com

LUBERON

La ferme des Faucou
Famille Faucou
La Plaine
04110 Vachères
Tél. 04.92.75.68.43

Andrée Maureau
auteure de livres de cuisine
- *Recettes en Provence,* Edisud, 1990
- *Tians et Petits farcis,* Edisud, 1997
- *Desserts et Douceurs,* Edisud, 1998
- *Épluchures, bavardages et recettes,* Equinoxe, 2005

Ferme-Restaurant
Les Grands Camps
Evelyne et Bernard Guichard
Le chêne
84400 Gargas
Tél. 04.90.74.67.33
www.bienvenue-a-la-ferme.com

PAYS D'AIX

La Villa Baulieu
Bérengère Guénant
Route de Beaulieu
13840 Rognes
www.villabaulieu.com

COLLIOURE

Anchois Roque
17, route d'Argelès
66190 Collioure
Tél. 04.68.82.04.99

MARSEILLE

Restaurant Le Malthazar
Michel Portos
19, rue Fortia
13001 Marseille
Tél. 04.91.33.42.46
www.malthazar.fr

Maison d'hôte La villa d'orient
30 Calanque de Saména
13008 Marseille
www.villadorient.com

PAYS DES MAURES

Guy Gedda, cuisinier
et auteur de livres de cuisine
- *Mes recettes pour Jeannette,* Michel Lafon, 2000
- *Le Grand livre de la cuisine provençale,* Michel Lafon, 2000, réédité chez Marabout en 2005
- *La Magie de la figue dans la cuisine provençale,* Edisud, 2004
- *Cuisine du soleil,* Jeannette Laffitte, 2005 (écrit avec Andrée Terlizzi)
- *La Prune de Brignoles,* Vilo, 2006
- *Petites leçons de cuisine en Provence,* Larousse, 2008 (avec Marie-Pierre Moine)

Restaurant La Pesquière
créé par Jacques Cadel
et tenu par Marie-Anne Cadel
1, rue des Remparts
83990 Saint-Tropez
Tél. 04.94.97.05.92
www.restaurant-pesquiere.fr

Boulangerie-pâtisserie de La Garde Freinet, Christian Lelasseux
Rue du Château
83680 La Garde-Freinet

PAYS NIÇOIS

Alex Benvenuto, auteur
de livres sur la cuisine provençale
- *Les cuisines du pays niçois,* Serre, 2001
- *Cuisines du pays niçois, les pâtes,* Serre, 2001
- *Les légumes du potager,* Serre, 2009
- *Le Poisson dans la cuisine niçoise,* Serre, 2013

MONACO

Le Louis XV - Alain Ducasse
Hôtel de Paris
Place du Casino
98000 Monaco

REMERCIEMENTS ET CRÉDITS

REMERCIEMENTS DE JULIE

Un grand merci à

Tous ceux qui ont eu la générosité de me transmettre leur(s) recette(s) pour que d'autres s'en emparent !

À Pierre Antoine et Thierry Langlois, sans qui cette émission ne serait pas,

À toute l'équipe de Troisième Œil :
Justine Planchon

Christophe Pinguet
Elodie Gironde
Krystel Wallet
Xénia Buet
Valentine Oudard
France Oberkampf
Mathilde Jarry
Julien Rochereau

Merci aussi à Mathilde Laborderie,

Aux réalisateurs :
Laurent Sbasnik
Cédric Terrasson
Damien Pourageaux
Antoine Robert

Mathieu Duboscq

Merci à toute l'équipe de Alain Ducasse Édition :

Emmanuel Jirou-Najou
Alice Gouget
Eglantine André-Lefébure
Camille Gonnet

Merci à Pierre Tachon, à Sophie Brice, à Virginie Garnier et à ceux qui nous ont généreusement prêté leurs images

Merci à france 3 et à
Muriel Rosé
Laurence Knoll
Solène Saint-Gilles

Merci à Stéphane, mon mari, à mon fils, à mes amis, pour avoir goûté et regoûté les recettes des carnets version «maison».

CRÉDITS

DIRECTEUR DE COLLECTION
Emmanuel Jirou-Najou

RESPONSABLE ÉDITORIALE
Alice Gouget

ÉDITRICE
Églantine André-Lefébure

PHOTOGRAPHIES
Virginie Garnier
P. 45 : Jean-Marie Périer
P. 71 et 73 : Julien Knaub
P. 242 à 251 : Marie Etchegoyen
P. 263, 264 et 268 : Charlier-Intartaglia

STYLISME
Sophie Dupuis-Gaulier

DIRECTION ARTISTIQUE
Pierre Tachon

CONCEPTION GRAPHIQUE
Soins graphiques
Merci à Sophie Brice

ILLUSTRATIONS
Sophie Della Corte

PHOTOGRAVURE
Nord Compo

MARKETING ET COMMUNICATION
Camille Gonnet
camille.gonnet@alain-ducasse.com

IMPRIMÉ EN CE
ISBN 978-2-84123-588-9
Dépôt légal 4ème trimestre 2013

84, avenue Victor Cresson
92130 Issy-les-Moulineaux
www.alain-ducasse.com/fr/les-livres

PAYS ALBIGEOIS
PÉRIGORD NOIR
PÉRIGORD VERT
SAINT ÉMILIONNAIS
BASSIN D'ARCACHON
BLAYE
PAYS D'AIX
MARSEILLE
PAYS DES MAURES